海外漢文古醫籍精選叢書·第二輯

2011—2020年國家古籍整理出版規劃項目

中國中醫科學院「十三五」第一批重點領域科研項目

——我國與「一帶一路」九國醫藥交流史研究（ZZ10-011-1）

蕭永芝◎主編

新鐫海上懶翁醫宗心領全帙 捌

（越）黎有卓 撰

北京科學技術出版社

圖書在版編目（CIP）數據

海外漢文古醫籍精選叢書·第二輯·新鐫海上懶翁醫宗心領全帙　捌/蕭永芝主編．—北京：北京科學技術出版社，2018.1
ISBN 978 – 7 – 5304 – 9229 – 1

Ⅰ．①海…　Ⅱ．①蕭…　Ⅲ．①中醫典籍—越南　Ⅳ．①R2-5

中國版本圖書館 CIP 數據核字（2017）第208343號

海外漢文古醫籍精選叢書·第二輯·新鐫海上懶翁醫宗心領全帙　捌

主　　編： 蕭永芝
責任編輯： 張　潔　周　珊
責任印製： 李　茗
出 版 人： 曾慶宇
出版發行： 北京科學技術出版社
社　　址： 北京西直門南大街16號
郵政編碼： 100035
電話傳真： 0086-10-66135495（總編室）
0086-10-66113227（發行部）　0086-10-66161952（發行部傳真）
電子信箱： bjkj@bjkjpress.com
網　　址： www.bkydw.cn
經　　銷： 新華書店
印　　刷： 虎彩印藝股份有限公司
開　　本： 787mm × 1092mm　1/16
字　　數： 377千字
印　　張： 32.25
版　　次： 2018年1月第1版
印　　次： 2018年1月第1次印刷
ISBN 978 – 7 – 5304 – 9229 – 1/R · 2390

定　　價：980.00元

海外漢文古醫籍精選叢書・第二輯

新鐫海上懶翁醫宗心領全帙 捌

（越）黎有卓 撰

新鐫海上醫宗心領全帙夢中覺痘壬卷之四十二

海上懶翁黎氏纂輯　後學唐鄙武春軒奉較

目次

凉血化毒湯 三百五　芍藥清肝散 三百六　化匶风 三百七

生地黄湯 三百八　柴胡麥門散 三百九　消毒散 三百十

洗肝明目散 三百十一　化匶风 三百十二　桂枝葛根湯 三百十三

紫草膏 三百十四　人參定喘湯 三百十五　方向上該三百十五

治痘要方　解表諸方　清火解毒諸方

表裏兼解諸方　托裏解表諸方　調補諸方

攻下諸方　目次終　列方

升麻葛根湯 一 此為解痘毒之首治初熱壯盛疑似未明或痘已出而表热甚

升麻　葛根　白芍　甘草各味平分水煎服一方加山查牛蒡

先師曰此方性味清凉純於疎泄必陽明多寔熱者方可用之　一表熱甚者或疑似或已出加山查牛蒡紫蘇麥冬加麻黄

一初熱解表加柴胡白芷桔梗防風

一口乾渴内熱加葛根天花麥冬

一大便秘加大黄　一頭疼加姜活藁本蔓荊子

一自利加條芩　一嘔吐加半夏生姜

一腰痛加獨活細辛　一腹痛加木香青皮枳殼山查

一驚搐加木通生地燈心　一小便秘加木通車前瞿麥

一衂血加玄参山梔生地　一咽痛加桔梗連喬

一熱甚三四日不㲹須解其毒加大力子連喬紫草

一瘡不出加防風荊芥紅花　一目痛加龍膽蜜蒙柴胡

一瘡出大稠密加参歸木香紫草大力子防風桔梗

一瘡乾或帶紫或太赤者血熱也加歸稍生地紅花骨皮丹皮

一痘閉陷灰白氣虚也加参朮防風木香官桂

一泄瀉裏虚也加参朮訶子茯苓

一手足瘡不起脾胃不足也加参芪防風官桂

一瘡不著痂濕也加芪桂防風白芷

麻黄湯 二 治寒傷榮 麻黄ソ三 桂枝ソ三 杏仁十粒 甘草六分 生姜三片水煎熱服

桂枝湯 三 治風傷衛 桂枝ソ三 白芍ソ二 甘草ソ一 生姜三片 棗二枚煎服 余按此二方可用於北方強壯禀寔者況我嶺南淺薄諸病亦不可用況於痘瘡乎

黄連解毒湯 四 又名凉血解毒湯治痘出熱不退紅不分地或乾枯黑暗急服可起脹灌膿

紫草ソ一 生地八分 赤芍 蘇木 防風 荊芥 黄連 木通各三分 紅花 天麻 甘草各二分 牛旁四分 柴胡八分 丹皮七分

燈心糯米水煎溫服　景岳亦名黃連解毒湯但用黃連黃芩黃栢梔子等分治火熱狂躁心煩口渴舌燥喘急

參芪飲五又名人參黃芪湯■此方和平凡痘漿清或不滿或倒靨或身凉而痘不起皆可用

人參ㄱ一黃芪五分甘草八分當歸ㄱ一川芎ㄲ一官桂三分山查八分白朮八分紅花五分生姜一片水煎溫服　余按參芪朮草補氣也芎歸補血也古人又謂之活血湯况加之以紅花官桂尤能令血流動而不壅滯又開竅活動真逐毒釀漿成痘之聖藥

保嬰百補湯 六（凡痘血熱毒盛肥紅色枯小赤八九日後漿足服之）山藥　當歸

芍藥　地黃　水煎溫服

木香異功散 七（凡痘灰白痒塌咬牙寒戰泄瀉腹脹並服）當歸　木香

茯苓（各三ㄱ半）肉桂（二ㄱ）人參　肉蔻　陳皮　丁香　半夏

白朮　厚樸　附子（各一ㄱ半去附子亦可）右為末每服（二ㄱ）生姜

（二片）棗（二枚）水煎服（若裏急後重不可無附子）按此治純陰無陽之症參

歸苓朮所以補胃桂附丁蔻所以溫胃夏香樸陳所以調

胃蓋陽明主肌肉胃氣充足則肌肉溫煖自然光澤起

脹而無痒塌之虞若非虛寒者不可輕用

升麻流氣飲 八

十神解毒湯 九專治血熱之奇功 丹皮 紅花 桔梗 生地

當歸 赤芍 川芎 大腹 連翹 木通 灯心煎服

太乙保和湯 十主治痘血熱三四日後將行漿 生地 人參 紅花

紫草 桔梗 山查 川芎 甘草 木通 燈心 根十 姜三片 糯米 煎服

奪命丹 十一 又萬氏方同 主治痘黑陷甚者 麻黄酒浸炒 升麻[illegible] 山豆根

炒紅花　大力子　連喬各二ツ半　蟬蛻　紫草　人中黄

各三ツ　研末蜜酒凡神砂為衣薄荷湯下

百祥凡　十二　專治痘黑陷甚者　紅芽大戟　法用漿水煮極軟去骨晒乾復納入汁煮尽焙乾為末凡如米大每服二十凡並麻湯下

排毒飲　十三　大黄　歸梢各一ツ　白芷　木香各半ツ　穿山甲

七片土炒焦　右為末看寔虛大小加減長流水煎數沸調服

猪尾膏　十四　治痘倒靨心神在乱不寧取尾者以其常動敎發散於外也　片腦一分　研

細取小猪尾血滴入白湯和服　一方用麻黄煎湯服

一方用入神砂末一ツ　同研膏木香湯下

羗活散鬱湯 十五 專功重表暴痘瘡 川芎 羗活 白芷 防風 桔梗 荆芥 連翹 粘子 骨皮 紫草 腹皮 甘草 燈心煎服 按芎羗防芷有升提發散桔梗有開提匀氣之能荆翹鼠善解鬱熱骨皮消壅熱於筋骨之間且能肅清臟腑紫草滑肌通竅腹皮引熱下行甘草和中解毒如此則已能發散開提而又得透肌和解使毒不壅而出自易若驟用寒涼如芩連升麻之類則熱爲寒氣所鬱不得伸越必逗留經絡近則冰伏陷害遠則癰疽餘毒

內托散 十六 一名參芪內托散治表虛裏實息重氣粗氣血皆弱痘頂灰陷痘色淡白並可服之

黄芪　人參　當歸各二分　川芎　桔梗　厚樸　白芷

甘草各一分　木香　肉桂各三分　防風一分　姜三片　棗一枚　水煎温服

一若淡白灰陷而虛寒者加丁香以温其裏

一色淡白去防芷多加糯米　一若紅紫黑暗而屬熱者去肉桂木香加紫草紅花黄芩　一若當灌膿而不灌膿則倍加參芪歸糯米煎熟入乳汁好酒調服

接痘瘡始終以氣血為本氣血盛則能送毒外出氣血

虛則不能送毒外出伏於内令人氣重息粗而爲裹寔之症此辰若單用防風木香等開竅疏通之藥氣血虛弱不能以送毒毒未盡出由氣血虛弱不能負載亦必復入此辰若單用參芪歸芍補益氣血之藥書云虛中有餘之邪者補藥下投能助邪熱元氣不受而邪先受之此方用補氣血之藥令其不虛以助其本又用疏通之藥開壅去寔以治其標標本齊治能令瘡毒出外不復入自内托外而成功也故以内托名之

柴葛煎 十七 治痘表裏俱熱散毒養陰 柴胡 葛根 白芍 黃芩
連喬 甘草 水煎服

連翹升麻湯 十八 主散毒清火 連翹少一 升麻 葛根 桔梗
甘草各七分 白芷五分 薄荷 竹葉 燈草 煎服

疎邪飲 十九 治痘初起氣血強盛不必補者單宜解邪 此方為主可代升葛湯及羗葛湯最當
柴胡倍 芍藥倍酒炒 蘇葉 荊芥 炙草減半 水煎服
一無火加生姜三片 一火盛內熱加黃芩 一有湯加葛根

蘇葛湯 二十 治初熱未見点發表之劑暫用之 蘇葉 葛根各三分 白芍一分半

甘草一ソ 蓮鬚葱白根三 生姜三片 煎熱服 原方有陳皮砂仁各五分此惟氣滞腹痛者宜用之否則不必

柴歸飲

當歸二三ソ 芍藥一ソ半或生或炒 柴胡一ソ半 荊芥穗一ソ 炙草七分或一ソ 生姜三片 煎服

一血熱加生地 一陰虛加熟地

一火盛加黄芩 一氣虛脉弱加人參 一虛寒加炮姜肉桂

一嘔惡加炮姜陳皮 一陰寒盛邪不能解加麻桂

一熱渴加葛根 一腹痛加木香砂仁

一治麻疹荊芥葛根 此方和平養營之劑以爲先者

有毒者可托有邪者可散寔不助邪虛不損氣凡陽明

寔熱邪盛宜升麻葛根湯無寔邪者宜此湯

雙解散 二二 凡痘表裏俱寔者非此不解

防風　川芎　當歸

連喬　芍藥　薄荷　大黃各五分　石羔　桔梗　黃芩各八分

荆芥　白朮　桂枝　滑石各四分　甘草各二分　生姜三片煎無辰温服

涼膈散 二三 又東垣方同此為解痘裏熱良方

黃芩　連喬各為君

甘草　梔子　薄荷　桔梗　竹葉　煎服

搜毒煎 二四 此解痘毒熱盛紫黑乾枯傾燥便結純陽等症

紫草　骨皮

牛蒡杵　黃芩　木通　連喬　蟬蛻　芍藥各等分煎服

一大便結寔臍腹寔脹加大黄芒硝

一有渴加天花麥冬　一血熱妄行加犀角童便

一陽明熱甚頭面牙齦腫痛加石羔知母

一小水熱閉加山梔車前兼表熱加柴胡

大連翹飲 二五　主治痘後餘毒与尾熱之毒赤腫瘾毒又治痘後一切發熱　連翹

山梔　黄芩　滑石　柴胡　荆芥　防風　甘草

當歸　赤芍　木通　瞿麥　蟬蛻各等分　量大小與服

一方無瞿麥有紫草鹿茸　一方有牛旁車前無瞿麥

犀角地黃湯 二六 治痘血熱煞心主一 凉痘必氷伏慎之 生地四ㄱ 芍藥 丹皮 犀角各ㄱ半 各味水煎磨犀角汁服

一良方加黃芩黃連

一扳革方加芩連大黃

一哥方加桃仁以治血

四物湯 二七 治血虛營弱一切血症 熟地 當歸各三ㄱ 白芍二ㄱ 川芎一ㄱ 水煎服

二陰煎 二八 治心経有熱水不制火及煩熱失血等症 生地二三ㄱ 麥冬二三ㄱ 棗仁二ㄱ 甘草一ㄱ 玄參一ㄱ半 黃連一二ㄱ 白茯一ㄱ半 木通一ㄱ半 加燈草二十根或竹葉水煎服

四順清凉飲 二九 治血脉壅實臟腑生热面赤 煩渴痓卧不寧大便秘結 大黃

當歸 赤芍 甘草 各等分煎服 有熱渴加木香

前胡枳桔湯 三十 治痰寔壯熱胸中煩悶大便堅寔卧則常息若身温脉微有滿者禁用

前胡一刄 枳桔 赤苓 炙草 大黃各半刄 或散或煎一不拘服每服五ㄱ

三黃凡 三一 又名瀉心湯■治三焦積熱咽喉腫閉心膈煩燥小便赤澁大便閉結 黃連

黃芩 大黃各等分 為末蜜凡每服四五十凡白湯下或淡塩湯下

通關散 三二 此為通心經降心火利小便之良方 大黃炒 梔子各一ㄱ 木通

炙草 車前 赤茯 人參 瞿麥 滑石 扁畜

炒各五分 燈草水煎服

導赤散 三三 治心火及小腸熱症小便赤澁而渴 生地 木通 生草 各平分 竹葉二十片煎服 一方加人参麥冬 出馮氏治發驚

六一散 三四 一名益元散 一名天水散 □ 治中暑身熱煩渴小水不利治痢之聖藥分陰陽去濕熱其功大矣 粉草一刄 滑石六刄 為末新汲水調下

一方加牛旁治煩不眠 一名硃砂益元散 本方內加硃砂三刄

一名硃砂益黃散 本方內加神砂三刄

牛黃清心丸 三五 又萬氏方同 治心熱神昏 黃連生用半刄 黃芩 山梔各三刄

鬱金二刄 神砂一刄半 牛黃二分半 為細末臘雪調麪糊 丸如米大每服七八丸灯心湯下

七味安神丸 三六 治心經蘊熱驚悸

白茯 甘草各半刄 硃砂彩一刄 氷片二分半 爲末湯浸蒸餅和豬心血作丸每服十丸灯心湯下 黄連 歸身 麥冬

鼠粘子湯 三七 治痘稠身熱毒盛服此以防青乾黑陷

黄芪 炙草 柴胡 黄芩酒炒 連喬 地骨各平分煎服熱退則止 牛旁 歸身

柴胡麥冬湯 三八 治痘壯熱經日不止更無他症者

麥冬ㄱ三 炙草 人参 玄参各一ㄱ半 量大小加減不拘辰徐温服 柴胡半二ㄱ 胆草ㄱ一

按此方解表之功居六清火之功居四最佳 養营退熱此方

六味麥冬散 三九 即前柴胡麥冬湯增減只用此六味不必

七味白朮散四十一名人參白朮散　治虛熱人參白朮　茯苓　炙草　藿香　木香各一ㄅ　葛根二ㄅ爲末每服二ㄅ白湯下　一若無氣滿吐瀉等症去二香以避燥而耗氣也　飲水多服之最妙

射干鼠粘子湯四一　治痘壯熱大便堅實或口舌生瘡咽喉腫痛皆餘毒所致

鼠粘子炒杵四月　炙草　升麻　射干各一月　水煎徐徐溫服

薛氏曰此方若痘初出壯熱撤腫盤赤或咽喉口舌瘡痛作渴引飲者宜用之若因胃氣虛弱發熱高致前症者宜用人參麥冬散

柴胡桂枝湯 四二 主表散痘熱之良方 柴胡 葛根 桂枝
甘草 人參 白芍 黃芪 姜三片 煎服痘出即止

如聖湯 四三 主治痘毒盛不起 芍藥 升麻 葛根各一 甘草
紫草 木通各三四分 姜一片 水煎不拘辰溫服

柴胡飲子 四四 主治痘表裏俱寔 柴胡 葛根 人參 姜活
防風 荊芥 桔梗 蘇葉 甘草 姜三片 煎服

柴葛敗毒散 四五 治痘初熱与似傷寒以此解散 柴胡 防風 人參
當歸 白芍 甘草 黃芩 滑石 大黃各平分生姜三片煎服

三酥餅 四六 此初發熱用以表汗解毒稀痘 神砂 取上好明淨無砂石以絹囊謹之用麻黃升麻紫草荔枝殼同煮一夜研末仍用煎湯彤過晒乾再研細用 真蟾酥 法於端午日捉蟾取酥搽三餅每加射香少許微炒調作餅子 麻黃 去筋湯炮過晒乾為極末亦用蟾酥別調作餅 紫草 研極細亦用蟾酥別調作餅子 此古方如遇痘瘡小兒發熱之初每三歲者將三餅各取半分熱酒化下蓋覆出汗不能飲酒用敗毒散煎湯化下更妙若痘已出滿頂紅紫色為熱毒盛宜煎紫草紅花湯或化毒湯將神砂紫草二餅調下少許以解之但痘出之後不可服麻黃餅

也蓋神砂能解毒紫草凉心火製過亦能發痘解毒麻黄能發表發痘蟾酥能驅臟腑中毒氣從毛孔中作臭汗而出此四藥誠解毒希痘之神方也

當歸活血散四七 治痘血熱焦紫

當歸　川芎　赤芍　生地　紅花　紫草　水煎服

又一方四八

當歸　赤芍　紫草　川芎　紅花各五フ　血竭一フ　木香一フ　為末五歲以上服一フ十歲以上服二フ酒下若熱極焦紫不紅活酒煎紫草汁調下

消毒清火 九四

清胃化瘀 十五

解毒湯 五一 馮氏名解毒散 主治先發腫者名為痘母十中九死

一粘子 防風 荊芥 連喬 木通各三分 水煎服 金銀五分 甘草一分

一名解毒湯 治毒腫風熱搔痒 只用黃連連喬金銀三味

八味风料 五二 峻補真陰真陽 熟地八分 山茱 山藥各四分 牡丹

茯苓 澤瀉 三月 附子 肉桂 各一 蜜丸 塩湯下

人參白虎湯 五三 又名白虎湯去人參主治暑盛煩渴瘟出不快及麻疹癍毒 人參 五分

石羔 四分 知母 五分 炙草 三分 加粳米水煎服

參蘇飲 五四 治壯熱甩痰寒熱体痛咳嗽 人參 紫蘇 前胡

半夏 桔梗 甘草 陳皮 茯苓 葛根 加姜葱煎溫服 一方加山査各加麻黃

加減參蘇飲 五五 紫蘇 葛根 前胡 陳皮 枳殼

甘草 桔梗 生姜 三片 煎服

景岳方 五六 治四辰感冒頭疼發熱惡寒及傷風咳嗽潮熱往來解肌寬中孕婦傷寒痘疹並治

人參　紫蘇　葛根　前胡　陳皮　半夏　茯苓各八分　桔梗　甘草各五分　加枳殻八分　木香五分　姜棗煎服

十宣散 五七　桔梗　白芷　人參　炙草　條芪　厚樸各一ㄱ　當歸各二ㄱ　桂心二ㄱ　川芎　爲末每服一二ㄱ木香湯下　防風

補中益氣湯 五八　治症虛熱　黄芪　人參　炙草各一ㄱ　白术　陳皮留白　當歸各五ㄱ　升麻蜜炒　柴胡酒各三ㄱ　姜棗煎服

理中湯 五九　治寒瀉便青不渴嘔吐脾胃虛寒　人參　白术　乾姜　炙草　姜棗煎服

附子理中湯 六十　治陰寒厥冷腹痛自利沉憊等症　即本方加附子

保元湯 一六 一名調元湯去肉桂 治痘氣虛陷 人參ㄱ二三 炙草ㄱ一 肉桂 五七分 黃芪二三ㄱ 炒■蜜炙 臘酒加糯米煎熟又加人乳好酒■■

一頭額不起加川芎二五分

一面部不起加升麻三四分

一四肢不起加桂枝

一有嘔惡加丁香三四分

一元氣虛寒加大附

一方 大二 主治太陰不起 茯苓 白朮 川芎 當歸

熟地 白芍 乾姜 水煎服

六物煎 六三 炙草 當歸 熟地或生 川芎 芍藥

人參（氣不虛勿用）水煎服　一痘未出之先（加柴胡以疎表或防風以佐之）
一脾氣稍滯加陳皮山查　一有腹痛頗滯加木通陳皮
一如見點後痘不起發或起而不灌或灌而漿薄俱宜
單用此湯或加糯米人乳好酒肉桂川芎以助營氣
一如氣虛痒塌不起加山甲（炒）　一如紅紫（血熱不起加紫草或犀角）
一胃氣虛寒多嘔加（乾姜丁香）　一表虛氣陷（不起或多汗加黄芪）
一氣血俱虛未起未灌而先痒加丁桂
一元氣大虛寒戰咬牙去芎加芪附姜桂

寔表解毒湯 六四 人參 黃芪 當歸 生地 甘草
白芍 柴胡 升麻 片芩 玄參 骨皮 薄荷少
許淡竹葉十片水煎服

羌活散 六五 治初熱見点鮮利之劑 羌活 前胡 防風各一ㄗ 荊芥
獨活各八分 細辛 白芷各三分 柴胡 炙草 蟬蛻各四分 薄荷三葉
水煎服 一如發搐及熱盛不退調硃砂製神效
按此解利之劑若兒身壯可用蘇葛以行表次宜和解
踈利之藥若虛而補者當兼補元氣不可單用此類

調元保嬰丹　六六　主稀痘神方

纏豆藤二刃或黄豆菉豆梗上纏繞紅細藤是也於八月午日擇取陰乾咱用

防風　芥穗　牛蒡炒　紫草茸酒洗各一刃　升麻酒炒　甘草去皮各五ㄅ

蟾酥ㄅ一　天竹黄ㄅ二　牛黄ㄅ一　赤小豆　黒豆　菉豆各三十粒署炒

硃砂ㄅ三用麻黄紫草荔枝壳升麻同煮過以汁彩　右另用紫草刃二煎成膏八砂糖一小鐘将前各藥研末同混紫草膏作丸如李核大外用硃砂為衣於未痘之先煎甘草湯每磨服一丸大者二丸若發熱甚用生姜湯磨服覆睡而表之多者可以少者可無大有神效

一方　六七　無紫草用經霜老絲瓜一个連藤蒂子五寸燒存性同用

退火丹 六八 治痘中狂妄神方服後睡火許得睡神安氣平痘轉紅活 滑石 硃砂各一ㄋ彩 氷片三厘 為末冷水調一分服

五積散 六九 白芷 陳皮 厚樸各六分 當歸 川芎

芍藥 茯苓 桔梗各八分 蒼朮 枳壳各七分 半夏 麻黄各四分

乾姜 肉桂 甘草各三分 各散末服一

惺惺散 七十 主治感冒發熱 人参 白朮 茯苓 甘草

細辛 川芎 桔梗各等分 加葙荷葉五 煎服每二ㄋ 一方加防風天花粉

托裏消毒散 七一 主治痘氣血內虛不能驅毒送托 人参 黄芪 川芎

當歸 白芍 茯苓 白朮 陳皮各一ㄋ 甘草五分 金銀

白芷　連翹各七分　或散或煎服每五ㄅ

六氣煎 七二　治痘氣虛癢塌倒陷寒戰咬牙并治男女陽氣虛寒等症　黃芪

人參　白朮　茯苓　當歸　炙草　煎服其加減依前六物煎

勻氣散 七三　木通　青皮各五ㄅ　山查半二ㄅ　爲末一ㄅ甘草湯調下每服

橘皮湯 七四　橘皮去白炒二ㄅ　半夏一ㄅ　茯苓五分　加生姜三片　煎服

芎歸湯 七五　當歸倍　川芎減　爲末紅花湯調下

三痘湯 七六　大黑豆　赤小豆　菉豆各等分　甘草水浸以甘草水煮熟爲度任意飲之

調元化毒湯 七七　生芪八分　人參四分　白芍　當歸各六分　牛旁

連翹酒炒七分　芩連八分　防風　荊芥　桔梗　前胡　木通各五分

紫草茸六分　紅花　生地各三分　甘草　蟬蜕各四分　山查八分　姜一片

腹痛去參芪加枳殼便秘去參芪加大黄血氣與毒俱旺減歸芎三分之一去參芪

紫草木通湯七八　紫草　人參　茯苓　木通　糯米各平分　甘草減半　水煎服

無價散七九　主峻攻發痘及癍爛無血色　人牙　猪牙　狗牙　猫牙　以炭火燒存性各等分為末每二分熱酒調下一如有痒塌寒戰泄瀉煎異功散調下

一名人牙散 十八 只用人牙燒存性酒調下

一方 一八 用小兒糞陰乾將鎖銀罐二个上下合定鹽泥封固火煅通紅取出為末蜜水調服

一方 二八 加麝香少許片腦

一方 三八 用人牙自落者火煅存性入韮菜汁碎大牙三次小牙二次為末加麝香一分或加紅𪌭二分用鷄冠血調成膏乳酒各半盞入葱白煎湯調下每服只二三分不可過多多則陽氣盡出於表陰氣內盛必裏寒濡泄急

以四君子湯加芎歸服之

紫草飲子 八四 紫草 人參 枳殼 木通 山查

山甲 蟬蜕 各等分煎温服

紫草飲 八五 主治痘便宦内熱隱隱肌肉不起發 紫草 當歸 芎藭

甘草 麻黄 水煎不拘辰服

一方 八六 主治痘熱出齊 用紫草二兩細擣百沸湯一盞密蓋勿

令泄氣量大小與飲多至一合少則半合雖出亦減

一方 八七 治夾黑點子者名紫草酒用紫草五ソ酒半一盞煎服

蟬蛻膏 八八 主治痘氣虛氣陷不起 蟬蛻 當歸 川芎 甘草
升麻 防風 荊芥各平分 加人參 白芍 蜜丸如芡實大每服一丸薄荷湯下

托裏散 八九 人參 黃芪各二錢 當歸 白朮 熟地
白芍 茯苓各半錢 炙草五分 為末服

四君子湯 九十 補氣調胃 人參 白朮 茯苓 甘草 姜棗煎服

五味異功散 九一 各一煎 人參 白朮 茯苓 炙草
陳皮 加姜棗或散或煎溫服

養中煎 九二 治中氣虛寒嘔吐泄瀉 人參 山藥 扁豆 茯苓

炙草　乾姜　水煎食遠温服　一有氣滯加陳皮或

砂仁　一如胃中空虚覺饑加熟地

温胃飲 九三

人参二三ワ　白朮二三ワ　扁豆二ワ　陳皮一ワ或去　乾姜二ワ炒焦

炙草一ワ　當歸三ワ泄瀉勿用　水煎食遠温服

一氣滯胸腹痛加藿香丁香木香白蔻砂仁芥子

一兼有外邪及肝腎之病加桂枝肉桂甚者加柴胡

一如下寒滯濁加破固　一脾氣下陷身熱加升麻

一水泛為痰腹痛否滿加茯苓　一脾胃虚寒大嘔大吐不止倍参加胡椒

五物煎 九四 治痘血虛寒滯及婦人血虛凝滯不行小腹急痛産後經滯等症 當歸三五七ㄱ 熟地三四ㄱ 芍藥二ㄱ 川芎一ㄱ 肉桂三ㄱ 水煎服

一兼胃寒嘔惡加炮姜　一水道不利加澤瀉或猪苓

一血瘀不行膝下如覆杯漸塊加桃仁或酒炒紅花

一痘血虛寒寒邪在表加細辛麻黄紫蘇柴胡

一氣滯加香附或丁香木香砂仁烏藥

一陰虛病痛加小茴

五福飲 九五 五臟氣血虛損者並治 人參心 熟地腎 當歸肝各三ㄱ 白朮

肺五分炙草一ㄱ脾水煎食遠温服 一或宜温者加姜 一或宜散者加升麻柴葛

九味異功煎 九六 治痘寒戰咬牙倒陷嘔吐泄瀉腹痛虛寒等症

人參 黃芪 當歸 熟地各二三ㄱ 炙草七分 丁香三五分 肉桂一ㄱ 炮姜一二ㄱ 製附一二ㄱ 水煎温服 一有泄瀉腹痛加肉蔻麵炒一二ㄱ或白朮一二ㄱ

十二味異功散 九七 一名陳氏十二味異功散。治元氣虛寒痘色白寒戰咬牙泄瀉喘咳

人參 丁香 木香 肉蔲 厚樸各二ㄱ半 白朮 茯苓 官桂各一ㄱ 當歸二ㄱ半 附子 半夏各半ㄱ 為末温水下每服二三ㄱ或加生姜大棗煎温服

按此方性温有餘性補不足治寒症則可 治虛症則不及用者詳之

六味回陽飲 九八 治陰陽將脫等症 人參二三刄 附子二三刄 炮姜二三ㄱ 炙草ㄱ一 熟地一刄或五ㄱ 歸身三ㄱ 水煎温服
一如泄瀉或血動者易當歸以冬朮多多益善
一肉振汗多加炙芪或白朮　一陰虛上浮加茯苓
一肝經鬱滞加肉桂　一瀉甚加烏梅或五味

六味消毒飲 九九 又名消毒散 牛旁 連喬 甘草
升麻 紫草 山豆根 各等分煎服

四味消毒飲 一百 人參 炙草 黄連 牛旁 各一ㄱ姜三片煎温服

益黄散 一百一 治脾土虛寒水來侮土或嘔吐不食泄瀉腹痛大便不定手足逆冷 陳皮

青皮 訶子炮去皮 炙草各半月 丁香二ㄱ 爲末服或加肉蔻木香姜棗煎服

雄黄散 一百二 治痘後牙齒疳瘡 雄黄一ㄱ 銅緑二ㄱ 爲末摻之

承氣湯 一百三 治大便秘腹脹疐滿 大黄四ㄱ 厚樸二ㄱ姜炒 枳疐三ㄱ 煎服

猪膽導法 一百四 治大便秘 猪膽一枚 取汁入醋少許用竹管長四五寸以一寸納谷中將胆汁灌入肛中卽便

當歸丸 一百五 治大便秘 當歸半月 紫草二ㄱ 黄連五分 炙草一ㄱ

大黄二ㄱ半 右以歸紫煎成膏混各味和丸如椒子大量兒

大小清米飲漸加之以利爲度

加味四聖散 百六　治痘出不快及変倒陥黶小便赤澁餘熱不除或被風出復不見

人参　黄芪　川芎　炙草　紫草　木通　木香各平分

蟬蛻十ケ　糯米百粒　水煎服　一如便閉加枳殻便調加糯米

四聖散 百七　治痘出不快倒黶陥伏毒氣入内腹脹溺赤　紫草　木通各一ヶ

枳殻　甘草各五分　水煎温服　一如氣弱去枳殻加黄芪

四聖丹 百八　主治痘疔　牛黄一ヶ二分　児茶一ヶ八分　神砂八分　珍珠二分　研

末以胭脂油和用針挑去藥點疔上

胭脂汁塗法 百九 主治痘黑 先用升麻煎湯去滓乃用綿胭脂浸於湯内揉出紅汁以本綿醮湯於瘡上拭而塗之

四苓散 百十 主利水道 白朮　猪苓　茯苓各七ㄱ半　澤瀉一ㄱ半右爲末服六ㄱ白湯下

十全大補湯 百十一 人參　白朮　茯苓　炙草　川芎當歸　白芍　生地　黄芪　肉桂　隨症加減

水揚湯 百十二 主治倒靨 水揚俗呼核把蠟生水邊細葉紅根枝上有圓葉滿葉有百鬚者是 冬春用枝夏秋用枝葉切斷用長流水一大釜煎六七沸先將三分之一置浴盆内手試適者仍先服煎藥

然後浴洗漸漸添湯以痘起發光壯為度不拘次數洗了照視若疊疊然起處見暈之有糸是漿影也如漿不滿宜再浴之如弱者只浴頭面手足亦可此則不厭多洗洗後而不見起勢乃氣血敗而津液枯多不可治

人參回陽湯 百十三　人參　黃芪　當歸　甘草　蟬蛻　各等分加糯米一合煎服

獨聖散 百十四　主治痘氣血不足形色俱弱不起　穿山甲 取前足嘴上者燒存性為末每五分以紫草湯入酒服或紫草湯亦可

異功散 百十五　人參　白朮　茯苓　當歸　陳皮

半夏 厚樸 木香 丁香 肉菓 附子 官桂 姜棗水煎服

麻黃甘草湯 百十六 三五 治寒 抑不起 麻黃 二三ㄱ 甘草 一ㄱ半 煎服

黃芪建中湯 百十七 又名小建中湯 此方去芪 加飴糖一碗 桂枝

生姜 各三ㄱ 芍藥 六ㄱ 炙草 一ㄱ 黃芪 一ㄱ半 大棗 二枚 水煎入飴糖服

養榮湯 百十八 人参 當歸 紅花 赤芍 桂水炒 甘草 水煎服

涼血養營湯 百十九 生地 當歸 芍藥 甘草 骨皮

紫草 黃芩 紅花 水一鍾半煎服○一渴加天花

一機熱無汗加柴胡 一血熱之毒不透加犀角

一熱毒甚加牛旁連喬木通

胃愛散 百二十 人參　茯苓　甘草　丁香　藿香

紫蘇　木瓜　糯米　右爲末服加姜棗煎服

人參胃愛散 百二一 人參　茯苓　甘草　丁香　藿香

紫蘇　木瓜　糯米　滑石各二月　白芷半月　末服或加姜棗煎服每三ㄅ

快瘢湯 百二二 主治痘起發遲 人參五分　當歸　防風　木通各一ㄅ

甘草三分　木香　紫草　蟬蛻各二分　水煎温服

快瘢越脾湯 百二三 主治痘膿水不克痒塌先以白牛肝沙參紫草三味内服外燻　黄芪

白芍　桂枝　防風　炙草　姜一片　秦二枝煎服

瀉黃散百二四　山梔一月　石羔五ヲ　藿香七ヲ　防風四ヲ　甘草一ヲ

右爲末每服四五ヲ或煎服

凉肝明目散百二五　當歸酒洗　胆草酒洗　密蒙　柴胡　川芎

防風　黃連酒炒各平分　以獖猪肝煎服

八珍湯百二六　人參　白朮　茯苓　炙草　川芎

當歸　白芍　熟地　隨症加減

白龍散百二七　治痘潰爛　牛糞燒過取中間白者研敷之

敗草散（百二十八）治痘爛不止　爛茅桿取多年蓋屋者久感天地精萃風露之氣或晒焙或研細敷瘡或攤席上令兒卧之善解瘡爛功難盡述　一云取曠野白茅爛者尤佳

木香散（百二十九）　木香散用桂參苓　腹皮青前草半丁　姜水共煎温服後　表灰内泄妙通靈

紫草散（百三十）　紫草　炙芪　炙草　糯米各五分　煎服

二僊散（百三十一）治体寒肢冷腹痛口氣冷陰盛陽衰嘔吐泄瀉難發等症　丁香七个　乾姜一ソ　為末白湯服每五七分　蓋被厚覆令脾胃温煖陰返陽回則痘潤矣

神砂六一散百三二 滑石六月 甘草一月 神砂三ㄅ 散末白湯下

胡荽酒百三三 最能發痘 胡荽一把 以好酒二盞 煎一二沸 令乳母口含噴兒遍身并頭面房中燒胡荽香以除穢氣令痘出快或用棗炙之兒聞棗香尤能開胃進食開解毒氣

按此酒惟未出之前及初報之辰宜用之若起脹之後則宜忌酒氣亦忌發散皆不可用

辟邪丹百三四 燒於房中能除一切穢氣

蒼朮代以黃連尤效 乳香 真降香 甘松 細辛 芸香各等分 爲丸如豆大每焚一丸不可過多只使略有香氣不斷可也

綿蠒散 百三五 治痘餘毒身体痈節 出蛾蠒 生白礬 裝八

蠒內炭火煅枯 生疳蝕膿水不絕 研末粘瘡疳口此總治瘡毒膿水淋漓之劑

紫草快瘢湯 百三六 紫草 人參 白朮 當歸 川芎

白芍 茯苓 木通 甘草 糯米煎服

肉豆蔻丸 百三七 治瀉之要藥或淡或白不止者 肉蔻 訶子 白龍

骨 各半月 木香 砂仁 赤石脂 枯白礬 各七半 散末糊丸 飯汁

送下 一如瀉甚煎木香湯下或異功散送下不止多服 效云

異功散用桂參苓朴草歸陳朮木丁附半爲臣姜共棗

頭溫足冷服之靈 如症非虛寒不可輕用

余按此方治陽氣虛寒腸滑之泄藥蓋瑣大便若因胃氣不固者宜木香散送下如不應急用六君湯以補之

葛根湯百三八

葛根四ㄅ麻黄　生姜各三ㄅ桂枝　白芍　炙草各二ㄅ　棗二枚煎服

消風散百三九

人參　芥穗　炙草　防風　羌活　薄荷　蟬蛻炒　殭蠶炒　茯苓各二ㄅ陳皮　厚樸各一ㄅ右爲末每服二三ㄅ茶調下瘡癬酒服

生肌散百四十

骨皮　黄連炒　黄栢炒　五倍子　生草

各等分右爲末乾擦之卽熱退結痂而愈

活血散百四一　白芍　玄胡　當歸　川芎各四刃　肉桂一刃

右爲末每服四ㄅ或煎食後熱服

百花膏百四二　白蜜不拘多少用湯水和勻以鵞翎潤痛處磨卽易落無痕・痂

木香大安丸百四三　治飲食積滯痞滿腹脹　白朮二刃　神曲炒　陳皮

半夏　茯苓各一刃　山查蒸三刃　連喬　蘿葍炒各五ㄅ　木香一刃

右爲末糊丸如菉豆大每服二十丸

一方百四四　麥芽炒一刃　黃連五ㄅ

五苓散百四五　治暑熱煩燥藿乱吐瀉小便不利而渴淋澁作痛湿熱主利小便　白朮

猪苓 茯苓各七ㄅ半 肉桂五ㄅ 澤瀉一月二ㄅ半 爲末每服二ㄅ白湯下

犀角散 百四六 犀角 炙草各半月 防風 黄芩各一月 右爲末每二ㄅ或煎温服

猪髓膏 百四七 主治痘不靨及痂靨不落者 猪骨髓 白蜜 以大熬一二沸退凉取鵝翎拂之即落

蕎麥散 百四八 蕎麥 磨取細麵 痘破者敷之潰爛遍撲之或以襯卧尤佳

茶葉方 百四九 治痘遍身無皮膿水不已 茶葉 要多揀去粗梗入水焙取出再揀去梗濕鋪於草紙篩層令卧上一夜膿乾

敕若瘢瘢散 百五十 密陀僧 滑石各二月 爲末 濕則乾滲之或好蜜調敷之

解毒内托散 百五一 金銀 黄芪 當歸 赤芍 防風

草節 荊芥 連喬 木通 入酒少許煎服

解毒防風湯 百五二　治痘發當辰令温燥以此辛凉之藥發之 防風　薄荷
荊芥　石羔　知母　桔梗　牛蒡　甘草　連喬
木通　枳殼　加燈心竹葉煎服

一景岳方 百五三　治痘毒熾盛　防風　黃芩　骨皮　白芍
荊芥　牛蒡 各四五ㄱ 爲末白湯調下或煎服

平胃散 百五四　一名和胃飲本方加炮姜去蒼朮　蒼朮　厚樸　陳皮
甘草　姜三片煎服

甘桔湯 百五五　甘草 三ㄱ 桔梗 四ㄱ 加荊芥 二三ㄱ 尤效 水煎食後服

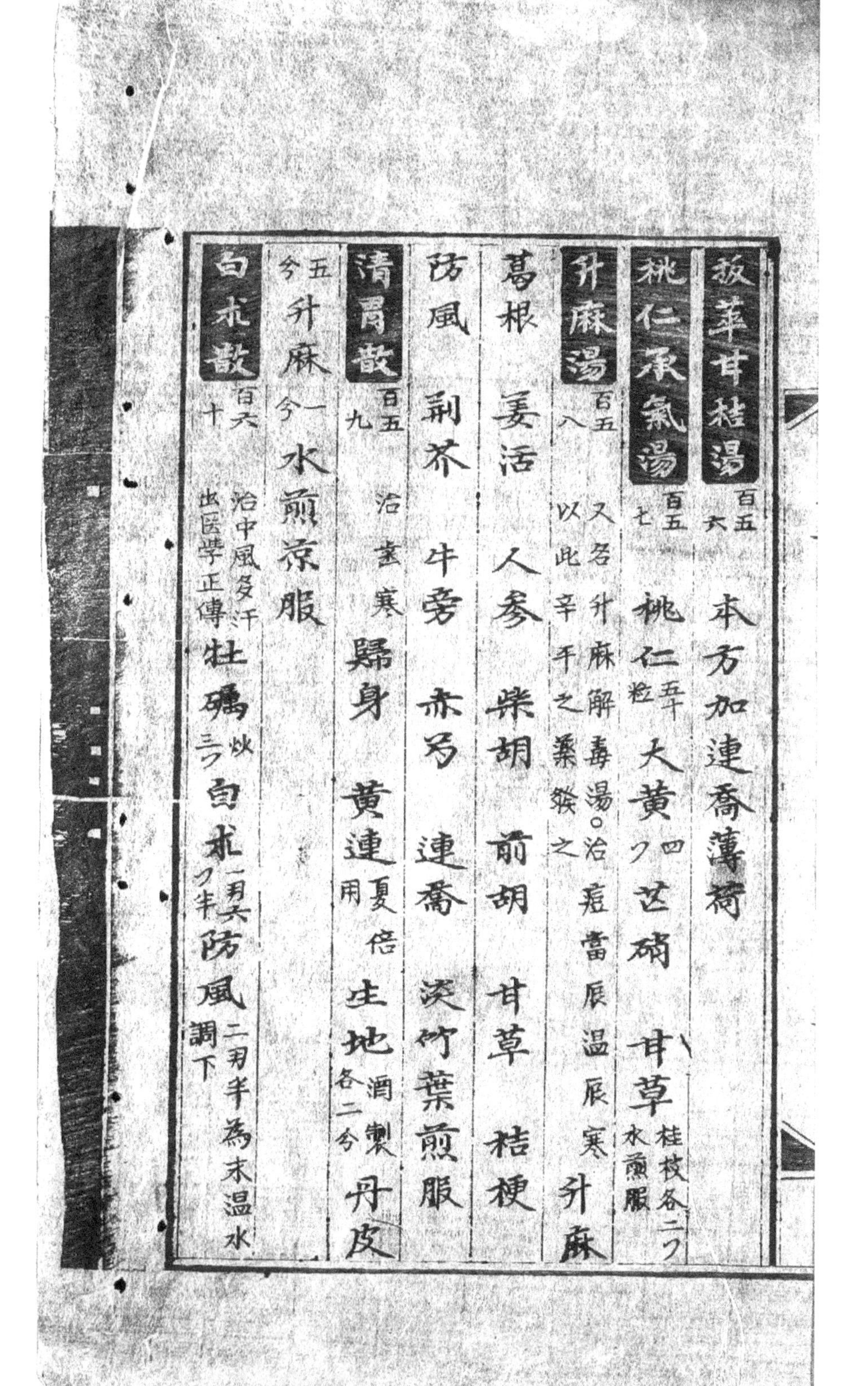

敍葦甘桂湯 百五六 本方加連喬薄荷

桃仁承氣湯 百五七 桃仁五十粒 大黃四刀 芒硝 甘草 桂枝各二刀 水煎服

升麻湯 百五八 又名升麻解毒湯。治瘟疫當辰溫辰寒以此辛平之藥發之 升麻 葛根 羗活 人參 柴胡 前胡 甘草 桔梗 防風 荊芥 牛蒡 赤芍 連喬 淡竹葉 煎服

清胃散 百五九 治寒 歸身 黃連 夏倍用 生地 酒製 丹皮 各二分 五分 升麻一分 水煎涼服

白朮散 百六十 治中風多汗 出医學正傳 牡礪 炒 三刀 白朮 一刀半 防風 二刀半 為末溫水調下

羌活敗苦湯 百六一　蔓荊子　羌活　牛旁　升麻　黄芪　川芎　連喬　桔梗　白芷　防風 人中黄 薄荷水 煎服

五皮散 百六二 治脾肺不運行水停不利面目虛腫四肢心腹腫滿　桑白皮　生姜皮　大腹皮　茯苓皮　陳皮 各一ソ五分 煎服忌生冷物

胃苓湯 百六三　甘草　厚樸　蒼朮　陳皮　猪苓　澤瀉　白朮　茯苓　肉桂　姜棗煎服

塌氣丸 百六四　治肚腹虛脹　胡椒 一ヲ　蝎尾 五ソ去毒　糊丸 如米大每服二三十丸 陳米湯下

安神丸 百六五　黄連 酒洗 一ヲ半　硃砂 彩 一ソ　生地 酒洗　歸身 炙草 各五分為末丸 食後嚥津下

升陽解毒湯 百六六 紫草 葛根 白芍 木通 猴梨

姜葱引 煩加麥冬赤芍湯加人参麥冬五味七八日仍然者加黄芩地骨

拔毒膏 百六七 治痘疔雄黄二ツ研用胭脂浸水令濃調雄黄点疔上立見紅活真神法也

絶癓散 百六八 蜜陁僧 活石各二ツ 白芷半ツ右爲末和白蜜塗瘡上即無痕

麻仁丸 百六九 大黄四ツ 厚樸八ツ 枳寔三ツ 麻仁一ツ 杏仁五ツ

白芍三ツ 各爲末蜜丸

酸棗仁湯 百七十 棗仁 人参各一ツ 麥冬三ツ 竹茹二ツ 龍眼五枚煎服

一方錢氏 百七一 炙草 人参 一錢 生地 麥冬 歸身 梔子各平分水煎服

小柴胡湯 百七二　柴胡ㄗ八　黄芩ㄗ三　人参ㄗ三　半夏八ㄗ　甘草二ㄗ　姜棗煎服

六味異功煎 百七三　人参ㄗ二三　白朮　茯苓ㄗ各二　炙草ㄗ一
乾姜ㄗ一二　陳皮ㄗ一　水煎温服

参姜飲 百七四　人参ㄗ三五 或倍　炙草三五分　炮姜煨五分　生姜三五片　煎服

致中湯 百七五

調中湯 百七六　一名調元湯　人参　茯苓　乾姜　藿香
白朮　炙草　木香　丁香　香附　砂仁井分　水煎服

神香散 百七七 丁香 白豆蔻 或砂仁亦可 各等分爲末溫服

胃關煎 百七八 熟地 一刄 山藥 二ゾ 扁豆 二ゾ 炙草 二ゾ 焦姜 三ゾ 吳茱 白术 各三ゾ 水煎食遠溫服。一瀉甚加肉蔻 或故紙 一陽虛下脫不固加附子 一虛氣加人參 一腹痛甚加木香厚樸 一滯不通加當歸。一滑脫不禁加烏梅五味

理陰煎 百七九 熟地 三五七ゾ 當歸 二三ゾ 炙草 一二ゾ 乾姜 二三ゾ 或加肉桂 一二ゾ 水煎溫服

大和中飲 百八十 治飲食留滯結聚等症 陳皮 山查 麥芽 各二ゾ 枳實 一ゾ 砂仁 五分 厚樸 澤瀉 各五分 食遠溫服

一脹甚加白芥子　一胃寒或悪心加炮姜

一疼痛加木香烏藥香附

二陳湯 百八一　陳皮　半夏各三ク茯苓　炙草各一ク加姜棗水煎食遠服

竹葉石膏湯 百八二　一名六味石羔湯　石羔火煅　淡竹葉　桔梗

薄荷　木通　甘草各一ク水煎服

六君子湯 百八三　人参三ク白朮二ク茯苓一ク半炙草一ク陳皮一ク

半夏一ク生姜煎服

五君子煎 百八四　人参　白朮　茯苓各二ク炙草一ク乾姜一二ク水煎温服

五德丸 百八五 補骨脂酒炒四匁 呉茱製二匁 木香二匁 乾姜三匁 五味二匁或代以肉蔻 麪炒或烏藥湯浸 人參湯或米湯送下

佐關煎 百八六 厚樸一ク 陳皮一ク 炙草七分 山藥 扁豆 猪苓 澤瀉 乾姜 肉桂各二ク 水煎服

一腹痛甚加木香或呉茱

一瀉不止加破固或肉蔻

抑扶煎 百八七 厚樸 陳皮 烏藥各五分 猪苓 澤瀉各二ク 炙草一ク 乾姜二ク 呉茱七分 水煎温服

香連丸 百八八 黄連二十匁 呉茱十匁同炒去茱 木香四匁忌火 八ク為末醋糊丸每三五十丸米飲服

御藥大半夏湯 百八九　半夏　陳皮　茯苓各二ク　姜五片　水煎服

小分清飲 百九十　茯苓　澤瀉　猪苓各二ク　薏苡　枳殼
厚樸各一ク　水煎食前温服

大分清飲 百九一　茯苓　澤瀉　木通各二ク　猪苓　梔子
枳殼　車前各一ク　水煎食遠温服

大小分清飲 百九二

黄芩湯 百九三　黄芩三ク　白芍　甘草各二ク　棗二枚　水煎服

玄參化毒湯百九四 治痘後赤火丹瘤 玄參 歸尾 連喬 石羔 骨皮 赤芍 防風 荊芥 木通 紅花酒洗 淡竹葉煎服

玄參地黄湯百九五 甘草 玄參 生地 丹皮 梔子 升麻各五分 白芍一ク 蒲黄五分炒 水煎温服

按此方宜去升麻以塞上冲之勢勿謂但屬陽明宜用升麻者也

參苓白术散百九六 与七味白术散同 人參 白术 茯苓 炙草 木香 藿香 乾葛各二ク 水煎服 入參白术散

一方加麥冬治痘已靨未靨熱不退煩渴不止此方極能清神生津

一方去葛术加山藥蓮肉桔梗薏苡砂仁治痘出泄瀉

少食小便清神氣倦瘡不起膿

人参敗毒散 百九七 主治痘餘毒癹爲癰腫 人参 赤茯 姜活

前胡 獨活 薄荷 柴胡 枳殼 川芎 桔梗各等分

炙草減半 牛旁五分 加葱頭煎服

一名荊防敗毒散 百九八 本方加荊芥防風連喬金銀

人参石羔湯 百九九

人参白芷湯 二百

人参附子理陰煎 二百一 熟地三五七ヲ 當歸二三ヲ 炙草一二ヲ 乾姜炒黄 一二ヲ 附子三ヲ 水煎服

人参透機散 二百二 人参 紫草如無以紅花代之 白朮 當歸 芍藥 茯苓 甘草 木通 蟬蛻 糯米各等分水煎服

人参麥冬散 二百三 麥冬一刃 人参 炙草 白朮 陳皮 一厚樸各五ヲ 或散或煎温服

人参建中湯 二百四 炙草 桂枝 生姜各三刃 大棗十二枚

膠飴一斤　加人參二兩　芍藥三兩　微火解服

人參理陰煎 二百五

加味參蘇飲 二百六

人參三戔　蘇葉一戔　山查六分　川芎四分　茯苓五分　半夏三分　牛旁四分　葛根五分　前胡八分　陳皮七分　枳殼六分　桔梗　甘草各四分　姜水煎服

團參散 二百七

人參　當歸各平分　雄猪心一个切片煎湯調藥每二戔服或煎服亦可

參砂和胃散 二百八

人參　砂仁　半夏各四分　白朮　茯苓

各五分藿香　陳皮各三分炙草二分煨姜煎服

升消平胃散二百九　川芎　香附　蒼朮　紫蘇　厚樸

各五分砂仁　藿香　白芷　陳皮各三分麥芽六分山查一分姜棗煎服

朮苓調脾散二百十　白朮　茯苓各七分白芍　炙草五分神曲

各五分扁豆八分香附　砂仁　厚樸各三分加人參三分姜棗煎服

温中益氣湯二百十一　人參　白朮各五分生芪八分歸身　茯苓

各六分炙草　川芎各四分白芷　防風各三分木香　官桂

山查各二分姜三片棗二枚煎服中病即止

敗毒和中散 二百十二

連翹　牛蒡各六分　黃連炒　枳殼　防風　荊芥各七分　桔梗五分　紫草　蟬蛻　川芎各四分　前胡　木通　升麻各五分　甘草各四分　麥冬八分　水煎服　一如大便秘加大黃

清解散 二百十三

荊芥　防風　蟬蛻　桔梗　川芎各四分　前胡　升麻　葛根各五分　黃芩　黃連　木通　紫草各四分　牛蒡　連翹各七分　山查八分　炙草三分　姜三片　煎服

蘇解散 二百十四

即清解散去芩連加蘇葉白芷各五分姜活四分姜三片煎服

化毒湯 二百十五

治已出或出不快或欲出壯熱少食一劑即消若一二窠出或已全出頭焦三服愈

紫草茸五ㄱ 升麻半一ㄱ 炙草半二ㄱ 加糯米五十粒 煎服

消毒飲二百十六 治痘初出胸前稠密急進三四服決透消毒應手神效

荆芥二ㄱ 甘草一ㄱ 防風五分 加山査 黄芩 紫草酒洗 煎服

或加犀角尤妙 一如食少加人參

葛根解毒湯二百十七 葛根 升麻 生地 麥冬

天花 各等分 甘草減半 水煎服

普濟消毒飲二百十八 黄芩 黄連各五ㄱ 人參三ㄱ 橘紅 玄參

甘草 桔梗 柴胡各二ㄱ 連翹 鼠粘子 板藍根

馬屁勃各一ㄅ　殭蚕炒　升麻各七分　水煎服

消毒化癍湯二百十九　升麻　柴胡　連翹　甘草　胆草

牛蒡　防風　蟬蜕　密蒙　竹葉　水煎服

消風化毒湯二百二十　防風　黄芪　桂枝　荆芥　升麻

白芍　牛蒡　甘草減半　薄荷葉七　煎温服

十一味木香散二百二一　一陳氏方同治痘靨寒泄瀉腹脹色慘白多渴　木香磨

腹皮黑豆汁洗　人參各二ㄅ　赤茯　前胡　青皮　半夏湯炮七次

丁香　訶子　甘草各二ㄅ半　桂心減半　右為末服或姜棗煎服

十味羌活散 二百二二 羌活 前胡 防風 荊芥各一刄 獨活
細辛各八分 白芷各三分 柴胡 炙草 蟬蛻各四分 薄荷葉三 煎服
一錢搐熱不退調入硃砂末服

十三味羌活散 二百二三 羌活 獨活 防風 桔梗
荊芥 柴胡 前胡 骨皮 炙草 蟬蛻 川芎
天花 天麻各半分 薄荷葉三 煎服

羌活湯 二百二四 羌活 龍膽 防風 川芎 山梔
當歸各等分 甘草減半 淡竹 薄荷 煎服

三陰煎 二百二五

當歸ㄱ二三　熟地ㄱ三五　炙草ㄱ一二　芍藥ㄱ二　棗仁ㄱ二　人參ㄱ一　水煎溫服

一嘔惡加生薑片三　一多汗煩燥加五味十五粒

一腰膝筋骨無力加牛膝杜仲　一小腹痛加枸杞ㄱ三

一有脹悶加陳皮ㄱ三　一汗多氣虛加黃芪三ㄱ二

五陰煎 二百二六

治真陰虧損脾虛失血及泄溏者重在脾故曰五陰　熟地五七ㄱ　山藥ㄱ二　扁豆ㄱ二三　炙草ㄱ二　茯苓今五　芍藥ㄱ二　五味二十粒　人參二ㄱ　蓮肉二十粒　煎服

七福飲 二百二七

人參ㄱ三　白术ㄱ一　歸身ㄱ三　熟地ㄱ三　炙草ㄱ一　棗仁ㄱ二　遠志今三五　生薑片五　煎服

八正散 二百二八 車前 木通 瞿麥 扁蓄 滑石 甘草 梔子 大黄 燈心十根 水煎服 一方加木香

六安煎 二百二九 陳皮半ㄋ 半夏二ㄋ 甘草一ㄋ 杏仁一ㄋ 白芥子七分 氣弱者忌之 茯苓二ㄋ 姜三片 煎温服

六味地黄湯 二百三十 熟地四ㄋ 山茱二ㄋ 淮山二ㄋ 丹皮一ㄋ 茯苓一ㄋ 澤瀉一ㄋ 水煎服

四味射干鼠粘子湯 二百三一 鼠粘子四ㄋ 炙草 升麻 射干各一ㄋ 水煎温服

當歸六黄湯 二百三二 當歸一ㄋ 黄芪一ㄋ 熟地七分 生地七分

黄芩　黄連　黄柏各七分　水煎服

金水六君煎 二百三三

當歸二ㄱ　熟地三ㄱ　陳皮半ㄱ　半夏二ㄱ　茯苓二ㄱ　炙草一ㄱ　姜五片　煎服

桂枝大黄湯 二百三四

桂枝　白芍各二ㄱ半　甘草　大黄各五分　姜一片　煎服

葛根麥冬湯 二百三五

葛根三ㄱ　麥冬四ㄱ　人參　升麻　茯苓　甘草各二ㄱ　石羔半兩　赤芍一ㄱ　水煎服　每三ㄱ水一大盞煎至六分徐徐溫服　量兒大小加減

加味甘桔湯 二百三六

桔梗八分　甘草一ㄱ　牛旁　射干各六分　防風　玄參各四分　姜一片　煎服　一熱甚加芩去防

柴胡飲 二百三七 柴胡 防風 當歸 人參 白芍
甘草 黄芩 滑石 大黄 各半兮 水煎服
柴陳煎 二百三八 治風寒咳嗽痞滿多痰等症 柴胡 三ㄱ 陳皮 五兮 半夏 二ㄱ
茯苓 二ㄱ 甘草 一ㄱ 生姜 五片 水煎食遠服。一寒勝加細辛
一風勝氣滞加紫蘇 一冬月寒甚加麻黄
一氣逆多咳加杏仁 一痞滿氣滞加白芥
柴葛桂枝湯 二百三九 柴胡 葛根 桂枝 防風 甘草
人參 白芍 姜三片煎服

柴苓湯二百四十　柴胡　人參　黄芩　半夏　甘草

猪苓　澤瀉　白朮　茯苓　肉桂　水煎服

甘桔清金散二百四一　桔梗一月　甘草　連翹各五ク　訶子三ク

牛蒡七ク　薄荷煎服或散服

甘桂湯二百四二　桂枝四月去皮　甘草二月　煼去渣頓服

甘桔防風湯二百四三　治痲疹　桔梗八分　甘草一ク二分　牛蒡　射干

六分防風　玄參四月　姜引熱甚加黄芩去防風

黄芩半夏湯二百四四　黄芩　半夏　麻黄　紫蘇　桔梗

枳殼　杏仁　甘草各等分　水二鍾　姜三片　棗二枚　煎八分　食遠服

天寒加桂枝

連喬歸尾煎二百四五　連喬七八ㄱ　歸尾三ㄱ　甘草一ㄱ　金銀花　紅藤各四五ㄱ　酒煎服

加味升麻葛根湯二百四六　葛根一ㄱ　升麻八分　赤芍六分　甘草二分　桔梗二分　防風三分　蘇葉五分　川芎四分　山查八分　牛旁五分　熟服取汗　姜三片煎服

錢氏養心湯二百四七　人參　黄芪　遠志　當歸　川芎　棗仁　五味　栢仁　肉桂　茯苓　茯神　半夏各三ㄱ　炙草一ㄱ　姜棗煎服

茯神湯 二百四八 人參 黃芪炒 棗仁炒 熟地 白芍炒
栢仁炒 五味炒 茯神各一月 桂心 甘草各五ㄱ 水煎服

寧神湯 二百四九 人參 當歸 生地 麥冬各一ㄱ 山梔
黃連 炙草各二ㄱ 菖蒲二分 燈心五分 神砂二分 水煎服

秘旨安神丸 二百五十 人參 棗仁 茯神 半夏各一ㄱ 當歸
白芍 橘紅各七分 五味五粒 炙草三分 姜汁糊丸芡實大每服一丸生姜湯下

硃砂安神丸 二百五一 黃連一ㄱ半 硃砂一ㄱ 生甘草五分 糊丸黍津下

保和丸 二百五二 神曲 陳皮 半夏 茯苓各一月 山查三月

連翹 蘿蔔子各五ㄱ 粥糊丸服

又方二百五三 加麥芽一月 黃連五ㄱ

大補元煎二百五四 人參二ㄱ 山藥二ㄱ 熟地二三ㄱ 杜仲二ㄱ 當歸二三ㄱ

泄瀉去之 山茱一ㄱ吞酸者去之 枸杞二三ㄱ 炙草二ㄱ 水煎食遠服

貞元飲二百五五 熟地七八ㄱ 炙草二三ㄱ 當歸二三ㄱ 水煎溫服

生脉散二百五六 煩渴首尾通用 人參一ㄱ 麥冬五分 五味七粒 水煎服

清膈散二百五七 主治肺火 陳皮半ㄱ 貝母二ㄱ敲破 胆星三ㄱ 海石二ㄱ

白芥五分 木通二ㄱ 水煎服

赤金豆 二百五八 巴豆霜 去皮油半ㄅ 生附子 墨炒二ㄅ 皂角 炒焦二ㄅ 輕粉二ㄅ 丁香 木香 天竺黃 各二ㄅ 右為末醋浸蒸餅為丸硃砂ㄅ二為衣用姜醋茶蜜茴香史君子為湯送下五七丸

抱龍丸 二百五九 治疒尼痰壅盛或發熱咳嗽發驚搐等症 膽星 四兩九製 天竺黃 一兩 雄黃 硃砂 各五ㄅ 麝香 五分另研減半亦可 右為末用大甘草 一斤 熔極濃汁搗丸每作二十丸陰乾薄荷湯下一二丸

一此方加牛黃 四ㄅ 名牛黃抱龍丸 一此方加琥珀 名琥珀抱龍丸

梅花散 二百六十 硼砂 馬牙硝 芒硝 神砂 各一ㄅ 人參 二ㄅ

甘草五分 片腦半分 麝香一分 右研末磁器收貯每服半匙麥冬湯服或消荷湯亦可

琥珀散 二百六一

琥珀 牛黄 胆星倍 白附 天麻 殭蠶炒去絲 黛 礬 全蝎 蝉蜕 乳香各一ツ 硃砂五分 右爲末每服一二分白湯調下

瀉青丸 二百六二

山梔 大黄 胆草 當歸 川芎 防風 羗活 等分爲末糊丸

生犀散 二百六三

犀角三ツ 柴胡 葛根 赤芍 骨皮各一刃 甘草五ツ 水煎服

紅綿散 二百六四　麻黃 去節　天麻　荊芥　炙草 各二少　全蝎 七枚　右爲末每服一少　薄荷葉 二入酒四五滴煎二三沸熱服　一如痘未出再進一服次又一服

二妙散 二百六五　黃栢 去皮炒　蒼朮 米汁浸炒　等分爲末

七味龍膽瀉肝湯 二百六六　柴胡　澤瀉　車前　木通　胆草　歸身　生地　等分煎服

加味龍膽瀉肝湯 二百六七　柴胡 一少　人參　黃連　天冬　麥冬 各五分　胆草 酒炒五分　甘草　黃芩 各七分　山梔　知母 各五分　五味 七粒　水煎服

龍膽瀉肝湯二百六八　胆草　車前　歸尾　木通　澤瀉

甘草　黄芩　生地　山梔各等分水煎服

洗心散二百六九　治眼睛腫痛多淚羞明　麻黄去節　大黄　當歸　白芍

荊芥　甘草各八分　白朮一分半　生姜薄荷煎服

蟬菊散二百七十　治瘡入目及病後目翳　蟬蜕去肚净　白菊花各等分每用二三分入水加蜜少許煎食後温服

蒺藜散二百七一　白蒺藜一月　南星一月用黑豆二合青塩二ク水同煮透去豆焙乾

菊花一月五ク　防風　殭蚕　甘草各一月　右爲末沸塩湯服每二ク

秦皮散二百七二　治瘡腫痛痒塌昏暗羞明　滑石　黄連各等分乗熱洗眼

金露散 二百七三 治赤目腫痛翳障諸疾

天竺黄　海螵蛸 不必浸洗　月石 各一兩　硃砂 彩　蘆甘石 七片子者佳煆碎童便七次彩淨各八兩

右爲末極細收貯磁罐每用辰取數分復入氷片少許 治諸目疾皆妙

若治内外目障取藥ㄱ一加珍珠 八厘　胆礬 三厘　内珍珠 須豆腐中蒸用

若爛弦風眼每ㄱ一加銅綠冤丹各八厘

赤眼疼痛者ㄱ一加乳沒各半分

望月砂散 二百七四 治痘後兩目不能開

穀星草 五ㄱ　密蒙花 火酒洗五ㄱ　蟬蛻 五ㄱ　望月砂 一兩 卽兎糞

右爲末用獖猪肝 一ケ 竹刀剖開用藥一ㄱ入肝内猪焘飲汁食肝神效

蜜蒙散二百七五 治痘後及諸毒入眼 蜜蒙一ク半 青霜子一ク 決明子一ク 紙湿包煨熟
車前五分 右為末用羊肝一片剖開入藥合好空心食之

通神散二百七六 治痘入眼生翳障 白菊花一両 菉豆皮一両 穀星草一両
右為末每歲用一ク乾柿一丁生米汁一盞同煮汁盡去藥食
柿不拘辰日用二三丁近者五七日遠者半月愈

萬氏四聖散二百七七 菉豆 豌豆各四十九粒燒存性 珍珠一分 油頭髮
一分燒存性

洗肝散二百七八 川芎 當歸 防風 羌活 薄荷

梔子　甘草各分　芋　水煎食遠服

導赤通氣散 二百七十九　木通　生地　人參　麥冬　歸身

菖蒲　甘草　加燈心煎服

抽薪飲 二百八十　黃芩　石斛　木通　梔子　黃栢各一分

枳殼　澤瀉各五分　細辛三分　內熱冷服

馬鳴散 二百八十一　人中白火煅三分　馬鳴蛻俗曰蚕紙燒存性二分　五倍子一分

白礬火乞　右研末用米汁洗痛處以藥敷之神效

止汗散 二百八十二　人參　白朮　茯苓　黃芪蜜炒　當歸

炙草各一ク 生姜 入麥麵煎服

㕦方凉膈散 二百八三 瀉三焦六經諸火 大黄 樸硝 甘草各一ク

連喬半一ク 梔子 黄芩 薄荷各五分 竹葉七片蜜一匕 煎服

僊方活命飲 二百八四 即十三味敗毒散去苗荷連喬治痘瘡毒 白芷 防風

乳香 没藥 甘草 連喬 赤芍 穿山炙焦 歸梢

天花粉 薄荷 角刺 貝母各一ク 金銀花三ク 陳皮一ク酒水煎服

神應奪命丹 二百八五 治尾卵倒陷痘毒入裏與三蘇餅同功擇天医日生氣方合

神砂 擇墻壁鏡面者以囊盛之用升麻麻黄紫草連喬同入砂罐以新汲水桑柴火煮一晝夜取

出將砂研細仍將熖砂藥去滓取水影蒜待乾咱用二ㄅ　麻黄連枝節蜜酒炒焦八分　蟬蛻

三分　紫草五分　紅花五分　山甲酒炒五分　蟾酥三分　各研末用醋酒杵

丸分爲十丸週歲服半丸二歲服一丸只服三丸熱酒

化服厚蓋出汗汗出痘即出

太乙膏 三百八六　玄參　白芷　當歸　肉桂　大黄

赤芍　生地各一兩　黄丹二兩　麻油二斤　右各味切細入油浸夏

二冬十春秋七日文火熖黑色入黄丹再熬以青柳枝手攪滴水成珠收貯咱用

錢氏黄栢膏 三百八七　黄栢一兩　菉豆二兩　甘草三兩　以胭脂濃汁塗眼上下

苦參丸 二百八八

苦參 一兩 白蒺藜 何首烏 牛蒡子 荊芥穗 各半兩

右爲末，酒調麪糊爲丸，竹葉湯下。

茵陳薰法 二百八九

乾茵陳研末，搗棗膏和丸，之晒乾，火燒薰。

神效當歸膏 二百九十

當歸 生地 黃蠟 各二兩 白蠟減半 麻油 六兩

先將歸地各一兩入油煎黑，去粗，又將二味各入一兩，煎焦去滓，入蠟溶化，調勻成膏，塗以紙，薰之。如有死肉，以刀割去，生肌尤速。

玉鑰匙 二百九一 治風熱喉痺及纏喉風

月石 五錢 牙硝 一兩半 殭蠶 一錢 冰片 一字

右爲末，每用五分，以竹管吹入喉中。

吹口丹 二百九二 治口疳

黃連　青黛　兒茶　片腦　等分為末吹之

神授丹 二百九三 治牙疳

枯礬七分　白殭灰三分　麝香一分　右為末以竹管吹瘡上神效

搽牙散 二百九四 治痘後餘毒攻牙生疳

銅綠　雄黃　五倍子

枯礬　黃連　細辛　烏梅用蝎子包固火煅存性各等分為末搽之

陰陽散 二百九五

紫荊皮炒五兩　獨活去節炒一兩　赤芍　白芷

菖蒲各二兩　水煎服

甘露飲 二百九六

枇杷葉　生地　熟地　天冬　麥冬

黃芩　石斛　茵陳　枳殼各一錢　炙草五分　水煎服

化䘌湯 二百九七 蘆薈 青黛 川芎 白芷 蕪荑 胡黄連

川黄連 蝦蟇灰 各等分為末猪胆汁丸如麻子大以杏仁焰湯調服每二十丸

大蕪荑湯 二百九八 治脾疳發熱作渴少食大便不調能乳嗜土等症 蕪荑 山梔

各五分 當歸 白术 茯苓 各四分 柴胡 麻黄 羌活 各三分

防風 黄連 黄栢 炙草 各二分 水煎服作二劑

四味肥兒丸 二百九九 治食積五疳目生雲翳牙爛口瘡發熱体瘦肚大筋青小便白

蕪荑 炒 神曲 炒 麥芽 炒 黄連 各平分為末猪胆汁丸如米大每服二三十丸木通湯下

九味蘆薈丸 三百 消疳殺虫和胃止瀉 胡黄連 雷丸 蘆薈

蕪荑 木香 青黛 鶴虱 川黄連各一兩

蟬蜕二十個 麝香一分 用猪膽汁和丸粟米飲服每二十丸

化癍湯三百一 一名人參白虎湯治赤癍口躁煩燥暑熱及誤服桂枝湯大汗煩渴等症 人參二分 石羔五分 知母二分 甘草一分 糯米一合 煎服

柴胡四物湯三百二 治疹後餘熱 柴胡 當歸 川芎 生地

白芍 人參 麥門 知母 淡竹葉 黄芩 地骨皮 水煎服

安胎飲三百三 人參 白朮 當歸 熟地 川芎

白芍 陳皮 甘草 紫蘇 黄芩各一分 姜水煎服

敗毒散 三百四 治痘初壯熱毒盛頭痛腰痛等症

升麻 乾葛 紫蘇 川芎 羌活 防風 荊芥 前胡 薄荷 桔梗 枳殼 山查 蟬蛻 甘草 地骨 牛蒡 姜水煎，加葱白汁五匙，热服

涼血化毒湯 三百五

紫草一ㄅ 生地八分 赤芍 蘇木 防風 荊芥 黃連 木通各三分 紅花 天麻 甘草各二分 牛蒡四分 柴胡八分 丹皮七分 燈心 糯米 煎服

芍藥清肝散 三百六 治眵多眊燥，紫濇羞明，赤脉貫睛，臟腑秘結

白术 川芎 防風 羌活 桔梗 滑石 石羔 芒硝各三分

黃芩　薄荷　荆芥　前胡　甘草　白芍各二ㄱ半　柴胡

梔子　知母各二分　大黃四分　水煎食熱服

化㾦風三百七　治痲疹赤白口靡　黃連五ㄱ　蜀椒去閉口炒出汗　苦楝根白

皮各三ㄱ　右為末用烏梅肥者七ㄱ　艾湯浸去核搗爛和用艾湯量見大小下

生地黃湯三百八　生地五ㄱ　地榆七ㄱ半　炙草二ㄱ半　水煎二服　空心日晚

柴胡麥冬散三百九　柴胡二ㄱ半　膽草一ㄱ　麥門三ㄱ　甘草　人參

玄參各五分　右㕮咀每服三ㄱ水一大盞煎至六分　不拘辰徐服

消毒散三百十　芥穗　炙草各一ㄱ　牛蒡四ㄱ杵炒　各為粗末每服三ㄱ水一盞煎七分不拘辰徐服

洗肝明目散三百十一 治痘後目疾 當歸 羌活 柴胡

密蒙花 川芎 防風 木賊 山梔 龍膽

右爲末每服一ワ淡砂糖水調服

化蠶风三百十二

桂枝葛根湯三百十三 解散寒邪 桂枝 葛根 升麻

赤芍 防風 甘草各一ワ 加生姜三片 淡豆豉一ワ 水一鍾煎七分温服無辰

紫草膏三百十四 紅紫黑陷者暫用之 紫草茸 白附子 麻黄去節

泡湯去黃 洗晒乾用 炙草各半兩 殭蠶炒 全蝎各八分 右為末用白蜜一兩好酒半盞 先將紫草節熬成膏■旋入各藥丸如皂角子每服

一凡紫草煎湯化下後用補藥調理 如治驚搐以金箔為衣薄荷湯下

人參定喘湯 三百十五 治肺氣上喘喉中有聲坐卧不安胸膈緊痛及肺感寒邪咳嗽声重

人參　麻黃　阿膠　半夏麯　五味子　粟殼　甘草各八分　桑白皮半分　水一鍾　姜三片　煎八分　食後服

治痘要方 景岳以下該五十一方

解表諸方 該九方

一凡初熱辰必用者諸家皆以升麻葛根湯一為首程

氏則用蘇葛湯十二似爲更妥余則用柴歸飲一二以兼榮

衛爲尤妥當隨宜擇用　一凡營虛表不解者宜柴胡

飲　柴胡ツ三當歸ツ二熟地ツ三白朮ツ三炙草ツ一陳皮或用或去

白芍半ツ炒　水煎服　一如寒多加桂　一如氣虛加參

一如頭疼加川芎　一陽氣虛寒而表不解者宜柴葛桂枝湯二百三九

一元氣本壯而表不解者疎邪飲十九或加減參蘇飲五五

一寒氣勝而表不解者五積散六九或麻黃甘草湯百十六

清火解毒諸方　該十二方

一凡此所用解寔熱者也如欲解毒清火而兼養蒙者惟四味消毒飲一百為妙鼠粘子湯三七亦佳

一凡熱毒內盛而不化者宜搜毒煎二四

一煩熱作渴小水不利者宜導赤散三三或六一散三四

一血熱赤瘢煩燥多渴者宜用犀角散百四六

一凡熱在陰分而失血者宜玄參地黃湯百九五

一凡內熱不清宜東垣涼膈散二三

一二便俱秘而火盛於內者宜通關散三二

一熱毒内蓄小便不利而爲丹爲癰宜大連喬飲 二五

一煩熱多驚而神不安者宜七味安神丸 三六

一熱毒内甚而狂妄者宜用退火丹 六八

表裏兼解諸方 該五方

一内外俱有熱邪者宜柴葛煎 十七 一或柴胡麥冬湯 三八

一凡裏邪甚而表邪微者解毒防風湯 百九 三

一表裏俱有邪而元氣兼虚者宜寔表解毒湯 六四

一表裏俱寔熱者宜用雙解散 二二

托裹解表諸方 該六方

一凡有宜補元氣者有宜兼解毒者如氣血俱虛而不解者宜六物煎六三或托裹散八九

一虛寒不達兼托表者宜參芪內托散十六或十宣散五七

一氣有虛寒而不透者宜六氣煎七二

一凡氣血俱虛微熱不起者宜紫草快癍湯百三六

調補諸方 該十六方

一凡補劑皆痘中元氣根本祛邪托毒者之所必賴但

見虚邪必當以此諸方爲主

一如氣不足者宜調元湯百七六

一凡氣虚宜温者用保元湯一六一或六氣煎二七

一氣虚微熱宜兼凉解者宜參芪四聖散　人參

黄芪　白术　當歸　川芎　白芍　茯苓各五分　紫草

防風　木通各三分　水煎服

一凡血虚者宜四物湯七二或芎歸湯五七

一凡血分虚寒而宜温者用五物煎九四

一凡血虛血滯者宜用養血化癥湯治白疹白瘖當歸

人參　生地　紅花　蟬蛻各等分水一盞生姜一片煎六分溫服無限

一氣虛血熱宜兼解毒者用涼血養營湯百十九

一氣血俱虛者宜六物煎六三或八珍湯百二六或十全大補湯百十一

一氣血虛寒宜大溫補者無如九味異功煎九六六味回陽飲九八　一但虛寒而兼氣滯者宜陳氏十一味木香散一百二十一　十二味異功散九七　歌賴補虛大有不及

攻下諸方　該四方

一凡攻下之法亦痘所不可無此必不得已然後用之

勿視爲常也

一如有血虛秘結大便不通者宜四順清凉飲九二

一裏寔多滯秘結宜蔚胡枳殼湯十三

一表裏俱寔大便不通者宜柴胡飲子四四

一凡血熱便秘毒盛者宜用當歸丸六百

蒙中覺痘壬卷終

133

新鐫海上醫宗心領全帙夢中覺痘彂卷之四十三

海上懶翁黎氏纂輯　　後學唐郿武春軒奉較

生地　熟地　當歸　白芍　川芎　肉桂　官桂
附子　木香　丁香　陳皮　枳殼　山查　糯米
紫草　紅藍花　紅花子　胭脂　牛旁　連喬　玄參
黃連　黃芩　犀角　石羔　大黃　膽草　梔子
升麻　葛根　麻黃　白芷　防風　薄荷　柴胡
荊芥　桔梗　木通　澤瀉　大腹皮　皂角　米仁
山藥　麥冬　姜獨活　天麻　赤芍　細辛　紫蘇
丹皮　何首烏　肉菓　穀星草　射干　山豆根　滛羊霍

前胡　萆解　蘆根　燈心　訶子　炮姜　煨姜

生姜　葱白　胡荽　杏仁　大棗　圓眼　蓮肉

白蜜　鹿茸　羚羊角　穿山甲　公鷄　鷄冠血　露蜂房

蟬蜕　殭蠶　地龍　紫河車　人牙　人糞　人乳

羊頭腦　嫩羊肉　桑虫　陳黄米　扁豆　錦囊治案該十四條

目次終

外備用各方錦囊以下該七十四方

稀痘神方　一

硃砂揀取明淨者一分　麝香取真射晴五厘　萆麻子肥白者去殼紙包壓去油三十六粒　右共研末成糊用新筆醮藥塗兒頂顖前後

心手足心兩手灣兩腿灣如棋子仁其乾落不可洗去惟端午日午辰摻之必效此方搽之一年者止出十粒搽二年者止出二三粒搽三年者不復出矣此傳方之家已十六世並不出痘先師發慈濟之心不忍私秘用之者宜珍重以保家以活人神妙無比

神功消毒保嬰丹 二

纏豆藤一兩五錢其藤八月間附毛豆梗上纏繞細紅絲者是也採取陰乾妙在此藥為主 升麻七錢半 山查肉一兩 生地一兩 川獨活二錢 牛旁一兩炒 甘草五錢 黑豆三十粒 赤豆七十粒 當歸五錢 赤芍五錢 桔梗五錢

連翹七ﾌ 神砂五ﾌ彩 黄連 防風 荊芥各五ﾌ 苦練根一ケ長五寸隔年經霜者燒存性 李核右各細末調砂糖凡如每服一凡甘草湯下 諸藥預先精辦遇春分秋分或上元中元日修合務在精誠忌婦人猫犬見之合辰向太陽對藥祝曰神僊妙藥體合自然嬰孩吞服天地齊年吾奉太上老君急急如律令勑一口氣念七遍合畢每歲春分秋分服一凡能消痘毒若服三年六次毒盡消滅痘必無虞矣

梅英稀痘丹

三梅花蘂七朶研爛 硃砂一ﾌ 除夕砂糖調服出

痘必稀再用一服者痘可不出

稀痘龍鳳膏 四

地龍（即蚯蚓一條細小紅活白頸者佳）烏鷄卵一个用鷄卵開小孔入地龍在內夾皮紙糊其孔飯上蒸熟去地龍與兒食之每歲立春日食一枚終身不出痘凡値遍症辰行即食一二枚甚妙或春分日亦可食

稀痘鼠肉方 五

取雄鼠肥大者去皮毛腸穢用砂仁食塩和水煮爛食之痘出稀少未食葷辰與食尤妙

稀痘鯽魚方 六

鯽魚不拘大小去鱗腸忌水洗將芫荽

切細畧用塩入魚腹中外以草紙包裹火中煨熟陸續與兒食甚可稀解痘毒其鱗腸骨刺俱埋之

稀痘蝦蟆方 七

八月內取大蝦蟆去頭皮骨用淨肉塩花香油塌內熇熟食之十餘枚可免痘瘡之虞

四脘丹 八

蟬蛻 鳳凰蜕即鷄子殼 神僊脫即脫虫 父母即父甲 右四味各等分焙為末蜜丸年年除夕夜服一丁三年後永不出痘

稀痘鷄蛋方 九

單養黃雛雌鷄一隻不可與雄鷄一處及大生蛋七个照次序圈記收藏不可寫字切忌蚊虫買小

篾籃七个盛之用繩照數繫細竹棍爲記號置無女人到東厠中浸十二月初一日將頭蛋一个浸初二日將二个浸以至七日照依每日浸一个到初八日查明竹棍數記取先浸逐日每取一个用尾礶煮熟空心食之一生無患痘壮实功效不可勝言

玄兔丹

十　玄參五両木槌打碎晒乾取末　兔絲子十両水淘净晒乾取末　二味勿犯鉄器黑砂糖丸如碑子大每日砂糖湯服三丸

稀痘烏魚湯

十一　十二月三十日黄昏辰將七星大烏魚一尾小者二三尾煮湯將兒遍身浴洗自首至足不可因魚

腥丙用清水洗去不信或留一手一足不洗遇痘瘡出此處必多即其驗也

麻油擦法 十二

痘將發之辰行之重者變輕每夜臨卧辰用手中三指蘸麻油擦兒頭額頂背腰兩手腕兩足腕然後睡此賜達疎通升脫凝滯之義也

稀痘保嬰丹 十三

纏豆藤陰乾四月 紫草茸四月酒洗忌鐵 防風二月 升麻四月 芥穗二月 牛旁二炒月 草稍二月 硃砂三ㄱ 天竺黄一ㄱ二分 蟾酥一ㄱ二分 赤豆 黑豆 菉豆各五十粒 右爲末外用紫草三月 水三碗 煎膏半碗 八 生砂糖半盞 和勻將前藥搗爪如赤豆大冤過硃砂爲衣

未出痘辰煎甘草湯磨服一凡大人二凡如已發熱用姜湯磨服厚葢出汗則密者可稀少者散而不出如已見點甚密用甘草湯磨服一凡亦可减輕但不可過服

輕瘢散十四治痘未見點服之多者少少者無

絲瓜近蒂三寸連皮子燒存性爲末

硃砂五分淨末用砂糖調湯下

敗毒散十五治初熱壯盛芋症

升麻　乾葛　紫蘇　川芎

姜活　防風　荊芥　前胡　薄荷　桔梗　枳壳

山查　蟬蜕　甘草　地骨　牛旁　姜水煎加葱白汁五匙熱服

藾解散 十六 治痘初壯熱毒盛頭痛腰疼腹痛等症 紫蘇 葛根
防風 荊芥 白芷 紫草 蟬蛻 升麻 牛旁
木通 甘草 燈心葱白煎服

加味葛根湯 十七 治痘失表發熱譫語 升麻 葛根 赤芍
甘草 桔梗 柴胡 防風 牛旁 木通 荊芥連喬煎服

獨勝散 十八 治痘不起頂或紫黑倒陷靨又名奪命丹 穿山甲 酒炙成珠三分取紫色及前足者佳 麝香一分 右為末小兒一二分大人四五分木香煎湯入酒服熱甚者紫草湯下

昇花散 十九 錦囊秘方初發托痘神效 穿山甲 土拌炒黄一用取頭上及前足者佳 紅麯 一ノ畧炒 為末極細用雄鷄冠血入酒調服大人ノ餘小人隨减此較前方更佳蓋痘中麝香不可輕用也

烏金膏 十二 治因風寒痘不起發或紅紫或驚搐 殭蠶 酒洗 全蝎 酒洗去足尾 甘草 紫草 白附 味苦内白者真 麻黄 各五ノ 山甲 炒二五分 ノ 蟬蜕 二ノ去土頭足 為末另将紅花紫草各一用好酒一鍾煎至太半去渣下蜜 五月 火熬滴水成珠作丸每服丸一燈心湯下

七真湯 二一 治痘不起服灌漿 湰羊霍 三分多則發痒 人参 八分 山甲 土炒三分

黃芪（一ㄱ半） 甘草（五分） 川芎（五分酒洗） 當歸（八分） 姜棗糯米（水煎服 一方加木香二分）

助陽丹（二二） 治痘平塌不起根窠不紅 黃芪（一ㄱ酒炒） 人参（一ㄱ酒炒） 川芎

白芍 當歸（各一ㄱ） 紅花（五分） 陳皮（八分） 官桂（七分） 姜（棗水煎服 ○一方加角刺十分）

蟾酥丸（二三） 治痘不起發頂陷 一切驚風並治 蟾酥（一分） 牛黃（三分） 人牙（一个）

雄黃 珍珠（各三分） 硃砂（五分） 為末 人乳丸黍米大 人参湯下 一治驚加全蝎殭蚕

補脾快瘢湯（二四） 治手足痘不起者 人参 黃芪 甘草

防風 防已 肉桂（去皮） 水煎服

人牙散（二五） 治痘黑陷或紅紫黑 瘢咬牙寒戰 人牙（火煅存性入蒸 萊汁淬三次為末）

麝香一分或加紅麯二分用鷄冠血調膏乳酒各半盞入葱白煎湯下凡服每二分不可過多多則陽氣盡出於表主痘癈爛無血色而內寒泄瀉急以四君子加芎歸服

紫草膏 二六 治痘頂色紅紫黑陷

殭蠶酒洗五分 全蝎酒洗去頭尾 麻黃不去節各一錢 白附子製過五分 紫草一錢 山甲三分 蟬蛻三分酒洗去頭尾 蟾酥一分 為末別將紫草一錢煎去渣熬膏又用蜜二錢入酒半盞將前藥和丸如菉豆大三四歲者服一丸如痘色紅紫黑陷者紫草湯下色淡白灰陷者酒下

涼血化毒飲 二七 治痘初出瘡頭焦黑 歸尾 赤芍 生地
木通 連喬 桔梗 紅花 紫草 牛旁 豆根 水煎調人糞 八燒 一ク服
奪命五毒丹 二八 治痘黑陷倒靨乾枯不起者神驗 月魄 即蟾酥少許 吐月华
即牛黄二分 銀紅 即硃砂三分 男圭 即雄黄三分 梅精 即氷片二分 右為末
用豮猪尾血和丸如麻子大薄荷湯下 一丸 穆辰紅活
何號周天散 二九 治痘黑陷頂強目直視腹脹喘急發搐 蟬蜕 五ク 酒洗 地龍
一两 去土 爲末量兒大小煎乳香湯下
人保元湯 三十 治痘頂陷根窠雖紅而皮軟且湑血有餘氣不足也 黄芪 三ク 人參

一ㄗ半　甘草ㄗ一　官桂一分　白朮ㄗ一　川芎ㄗ一　姜棗煎服

人参歸芪湯　三一

治痘頂不起血不紅活或成漿而皮軟色白乃氣血不足之症也

黃芪一ㄗ五分　人参ㄗ一　當歸　川芎ㄗ各一　甘草八分　官桂三分　山查

白朮糯米水浸各八分　紅花酒洗三分　姜水煎服

生脉健脾湯　三二

治痘漿已成皮軟色白乃氣不足氣不足補氣血不足補脾脾旺則血生固其本也　黃芪一ㄗ半

人参ㄗ一　炙草三分　當歸　川芎　白芍各八分　白朮糯米浸炒八分

官桂三分　茯苓五分　紫草酒洗四分　或加紅花三分　姜一片　棗一枚　糯米五十粒水煎服

桂枝解毒湯　三三

治痘適辰令大寒以此辛溫之藥發之　桂枝　麻黃酒洗炒

赤芍　防風　荆芥　姜活　甘草　桔梗　人參

川芎　牛旁　生姜水煎服

當歸湯　三四　治盜汗　當歸　黃芪　生地　麥冬

甘草　黃連　白芍　浮小麥　用獖猪心煮湯煎藥服

白朮膏　三五　補中氣固自汗　用白朮米汁浸一宿飯上蒸曬之各三四次炒

黃清水煎取頭汁二去滓熬膏白湯調服虛甚人參湯服

治中散　三六　治虛寒瀉痢不進飲食　黃芪　人參　茯苓　白朮

川芎　當歸　肉桂各五ㄅ　肉菓麵包煨熟切片以紙包打去油　吾丁香一ㄅ五分

木香三ㄗ為末每歲服一分好酒調下衣被蓋煖少頃痘自变紅而起

白术調元散 三七 即参苓白术散加減治胃虛少食兼泄瀉 人参　白术

茯苓　甘草　扁豆　蓮肉去心　山藥炒各一ㄗ五分　桔梗

薏苡各八分　砂仁七分　為末每服一ㄗ或五六分或棗或姜湯下

堅腸湯 三八 治痘作瀉不止 黄芪　白术各一ㄗ　山查七分　川芎

陳皮各五分　升麻二分　肉菓一ㄗ　棗三枚　水煎服

阿膠駐車丸 三九 當歸二両　黄連四両　乾姜一両五ㄗ　三味為末

阿膠二両炒成珠醋煮膏和末藥丸如梧子大每服二十

凡食前米飲下小兒研化日二服 此治痘後下痢膿血幷腸垢

胃風湯 四十 治痘下痢膿血 人參 白朮 茯苓 官桂

川芎 當歸 白芍 加粟米一百粒水煎服

陳氏木香散 四一 治中氣虛寒泄瀉腹脹痘色慘白 木香 臨服磨服 腹皮 黑豆汁洗

[illegible] 人參各二ㄱ 赤茯苓 前胡 青皮 半夏 丁香

訶子 甘草各二ㄱ五分 桂心一ㄱ五分 爲末每服ㄱ三 姜棗水煎 隨兒大小加減

解毒散 四二 治痘先發腫者名爲痘母十發九死 金銀刄五 甘草刄一 粘子

防風 荊芥 連翹 木通各三ㄱ 酒水各半煎服

四聖膏 四三 治痘疔以珍珠七粒火上燒碗豆七七鍋內炒男髮不拘灰多少加入胭脂真个好

二聖膏 四四 治同前雄黄ㄅ三紫草ㄅ三共研末入胭脂點

神效隔蒜灸法 四五 治痘疔毒氣熾盛使諸痘不能起發起發者不能灌膿灌膿者不能收靨或大痛或麻木痛者灸至不痛不痛者灸至痛其毒隨火而散凡疔挑破出毒血者可治若不痛不出血者難治灸之知痛用銀針挑出紫血隨出諸毒隨灌亦有可生

其法用大蒜切三分厚安痘疔上用小艾炷於蒜上灸之每五壯易蒜再灸若紫血出後腫痛不止尤宜常灸

拔毒膏 四六 治痘疔雄黄研一ㄅ用胭脂浸水令膿調入雄

黄末點痘疔頭上立辰紅活蓋雄黄能拔毒胭脂能活血耳

凉血解毒湯四七 治女人出痘非經期於發熱辰經水忽至

當歸一ワ二分 白芷五分 升麻四分 紫草一ワ五分 赤芍一ワ 紅花一ワ 桔梗八分 連翹一ワ 燈心 煎服

凉血解毒湯四八 治痘出而熱不退紅不分地或痘苗乾枯黑陷急用此方可起脹灌漿

紫草一ワ 生地 柴胡 赤芍各八分 蘇木 防風 荊芥 黄連 木通各三分 紅花 天麻 甘草各二分 牛旁四分 牡丹七分 燈心糯米水煎服

保生散四九 治氣血俱虛痘色灰白不灌

紫河車一具酒洗去紅酒蒸爲末

敗龜板五钱酥炙　鹿茸五钱酥炙　右為末每服一钱（如氣虛保元湯下，如血虛芎歸紫草煎湯下）

利咽解毒湯（五十）　治痘咽喉疼痛　山豆根　麥冬各一钱

牛蒡七分炒　玄參七分　桔梗七分　防風五分　甘草二分　菉豆四十九粒　水煎服

回漿散（五一）　治痘不收漿結靨　何首烏　白芍酒炒　炙芪　人參

炙草　白术炒黄　茯苓　姜水煎服

象牙散（五二）　治同前　人參　黄芪　白术各一钱　甘草七分

茯苓一钱半　何首烏一钱　加糯米一撮　棗二枚　水煎送下牙末一钱

解毒托裏散（五三）　治痘稠密　桔梗　牛蒡　人中黄

防風　赤芍　荊穗　歸尾　蟬蛻　升麻　葛根
紅花　連喬去枝梗心　水煎入燒人糞調服
四物快瘢湯五四　治痘火盛乾燥　當歸　川芎　赤芍　生地
荊芥　牛旁　升麻　葛根　連翹　紫草　地皮各等分　水煎入燒人糞服
大補保命湯五五　治痘皮嫩易破　人参　黃芪　當歸　生地
川芎　赤芍　甘草　牛旁　防風　荊芥　連喬
官桂　水煎入燒人糞服
涼血芍藥湯五六。治痘作痛　芍藥酒炒　當歸酒洗　生地酒洗　紅花

地骨皮　各等分水煎服

白鷹糞散五七　治痘痂不落成瘢痕者　鷹糞取白色燒灰　馬齒莧不拘多少

晒乾燒灰蜜水調塗靨上　一方用馬齒莧擣汁猪膏脂白蜜共熬膏塗痕上

羊髓骨髓方五八　治痘欲落不落瘡痕　羊髓骨髓一兩　輕粉一ㄅ研

用煉成白膏塗瘡上

潤腸湯五九　治虛秘　歸稍　甘草　生地　麻仁　桃仁泥　煎服

治痘濕爛方六十　蠶繭燒灰存性加枯礬少許

又一方用陳墻上白螺螄燒存性為末

又一方用松花研末敷之　又一方用牛糞燒存性加射少許

又一方用陳墻上瑕草或晒或焙為末

三豆散 一六 治痘後瘡毒初起紅腫 用黑菉赤豆以醋研漿以鵝翎刷之隨手可退

洗肝散 二六 治痘毒攻眼障腫血縷遮睛 川芎 歸尾 防風

姜活 薄荷 梔子 甘草 各等分煎服

兎糞丸 三六 治痘入眼生翳障 兎糞四月炒 石決明一月用九孔者火炙

草決明一月 木賊一月 白芍一月 當歸五ㄗ 防風一月 穀星草二ㄗ 為

末蜜丸如豆子荊芥湯下每十丸　一方只用兎糞為末蜜丸如豆大酒湯下二三十丸

搽目方 六四 治痘入眼 用象牙磨水搽入目内最妙

吹耳丹 六五 輕粉　黄丹　珍珠 為末左目翳吹右耳右如之 一方加雄黄射香少許

罩胎散 六六 治妊婦出痘 川芎　當歸　白芍　人參

白朮　桔梗　甘草　柴胡　條芩　防風　荊芥

白芷　葛根　砂仁　紫草　阿膠　赤芩 加糯米水煎服

安胎獨聖散 六七 胎動服此覺熱則安 砂仁連殼炒去殼為末熟酒調下每一匙

一方用苧麻根搗爛敷臍　一方用伏龍肝井水調敷亦可

柳花散 六八 治室女發熱經行 柳花五七ㄋ　紫草一ㄋ一月　升麻九ㄋ　歸身七ㄋ五分

為末每服七ㄅ葡萄煎湯調下

當歸養心湯 六九 治女人出痘口瘖不能言者

人参　當歸　麥冬　甘草　升麻　生地各等分　燈心水煎服

加味歸脾湯 七十 治女人經閉不通血海乾涸適逢出痘以此調心脾使血不妄行

人参　白朮　黃芪　炙草　茯神各一ㄅ　木香五分　遠志　骨皮各一ㄅ　柴胡　山梔　棗仁各一ㄅ　姜棗煎服

加味逍遙散 七一 治同前

白朮　白苓　白芍　當歸　柴胡　甘草各等分　加山梔丹皮棗二枚煎服

黑神散　二七　治婦人出痘分娩後瘀血作痛　川芎　當歸　熟地　乾姜 炒黑　桂心　蒲黃 炒　木香　香附　青皮　黑豆　水酒煎服

神治痘從生瘡方　三七　其症每年撥發如癩諸藥不效用之三日即愈　熟鵞油 四月　蜜蠟 五分　萊菔子 焙研末 三分　川硝 焙研末 三分　土硃 四分　四味俱入油內攪勻搽之

蜞鍼法　四七　治痘腰毒　用馬蝗 即水蛭大者　置紅腫處　吮去惡血即愈

常用方歌　該十二方

姜活散鬱　芷荊芎紫葛喬甘地骨同大腹鼠粘防燈草氣粗熱湯顯神通

保和湯　內地参紅紫葛查芎草木通糯米燈心與姜水

十神　服後用催膿

透膿散與保和同紫桔查芎草木通蟬鼠参陳燈棗共
姜防服後助成膿 保嬰百補四君湯山藥當歸芍地
黄八九日來收足後調和氣血是良方 保元湯用草
参芪白朮苓歸熟地隨芍藥川芎乾姜桂太陰（不起 無凝）用
十神解毒牡丹紅桔梗生歸赤芍芎大腹喬通燈草共
三朝血熱奏奇功 大連喬飲芥防風赤芍歸柴草木
通滑蜕黄芩梔子共更加柴茸最神功 四順清涼草
大黄當歸赤芍共稱良氣粗熱秘須煎服熱瀉（還須入木香）

木香散用桂參苓腹勒青蔔草半丁姜水共煎溫服後表灰內泄妙通靈異功散用桂參苓朴菓归陳朮木丁附半爲臣姜共棗頭溫足冷妙如神泄瀉須知用理中人參白朮草姜同四肢厥冷兼筋轉附子加添始奏功　泄瀉還須用益黄青皮訶勒草丁香或加肉蔻木香等姜棗同煎是聖方

痘藥正品該五十五品乃痘家要用倘旁通者宜看錦囊藥性內甚詳的一人參治痘之聖藥也補元氣生精血止渴生津安神健脉托裏排膿旣可補中以杜內陷復能固表以免外剝使正勝邪邪驅毒出外俾毒假漿成毒從漿化盖無形之元氣能

生發於中則有形之疾病漸可消弭於無事也若熱毒
盛辰與血熱痘初與痰壅症與肺熱咳甚並禁用倘不
得已以善茶浸過用無妨亦權宜也
一黄芪主益脾氣補托排膿寔腠理補氣虛益脾胃血
脈不行陰毒不起泄利消渴腹痛虛汗宜灌漿辰用若
血熱痘症外有紅紫癍點者肺熱咽痛喘咳者血熱血
枯痘色燥槁不潤者並禁用與漿足後不可過多恐胖
甚難於收靨過補則生癰毒且人參黄芪皆補氣助火

之劑凡痘色白陷者最宜若痘色紅紫壯寔者輕用之
則血愈熱而毒愈熾紅紫者轉為黑枯不救之症

一白术健脾利水燥濕温中能補氣故能發痘能固脾
故能止瀉能補虛斂汗故發泡漿溢者加多及胖甚不
痂者虛渴者中氣大虛甚者宜若在膿戾用之則濕潤之
氣不行而痘難成漿矣蓋白术專補氣多用則燥且
助陽生火而難收斂與熱盛喘咳音啞煩渴熱毒煩燥者並禁用

一甘草生用瀉火解熱毒消痘疽癰用能補三焦元氣

健脾和中解諸毒藥佐理陰陽其味甘和而潤故能解剛暴之毒　瀉枯涸之火常用宜小者生者補劑宜大者炙者解疫癘惡毒宜製人中黄最佳節生用消腫導毒

一茯苓利水除濕益氣和中扶脾養胃除煩通液泄瀉者水泡者及收醫辰並宜用之但多滲洒走利之功故灌漿辰恐令水氣下行外不行漿内防發渴與陰虛於下精血不足者並當避之赤者惟利水瀉熱而不補小便多汗多者宜忌之

一生地凉血行血養血專治血

熱血燥紅紫乾枯之痘凡吐血衄血解毒中皆宜用之然其用有四凉心火之血熱瀉脾土之濕熱去鼻中之衄熱除五心之煩熱用必酒浸洗凡痘瘡血熱瘡色乾枯者俱宜之性寒凉血潤膓脾胃虛弱禁用

一熟地滋腎水補血而益真陰乃天一所生之源凡痘中痘後血虛無膿者宜之葢痘疹之病形質之病也形質之本在精血熟地以至純至靜之性至甘至厚之味寔精血形質中第一品純厚之藥故能於起發灌漿收歛

之用以參芪配之其功乃倍得升柴則能發散得桂附則能回陽得參芪則入氣分得歸芎則入血分今見痘家與傷寒家多不用豈非古人之未及耶抑不知四物湯爲何物耶但性滯而不走倘脾虛者必須酒浸炒之

一當歸生血養血行血止血痘血虛不光潤紅活者宜之凡虛者能補滯者能行欲其升散當佐以川芎欲其附斂當佐以芍藥如血熱血虛同酒炒生地並用用宜酒炒若大便滑者禁用

一白芍能引陰退陽健脾補表

養血和血可降可升能清能歛治痘血散不歸頼之以收使附氣分能瀉肝脾之火能止腹之熱痛亦能止汗

一川芎能升能散能引清氣上行頭角排膿以起頭面之痘能佐參芪以行陽分溫補而解肌表之邪解諸欝達三焦爲通陰陽氣血之使故七日前暫爲升提導引如頭面痧不起發或作癢者尤宜七日後少用葢欲收歛而惡發泄也但性多辛散走竄上行故功多於頭面若火在上而氣虛者當避之及一切血症忌之恐引火上騰益耗陰分

一肉桂和榮衛以固𦙶表却風邪而寔腠理氣虛之痘賴以鼓舞藥性上行通調百脉引參芪以達𦙶表托痘毒癰疽引血成膿制肝補脾調和氣血凡泄瀉寒戰痘白者並宜如寔熱痘症并痘後作痒皆不可用

一官桂能養营解表煖血行經凡痘营衛不充而見寒滞者必用此導達氣血且善行參芪嘉地之功若煩熱紫黑便結毒盛者不可輕用　一附子主脾胃虛寒元陽太虧泄瀉嘔吐不能止寒戰厥逆不能除與痘寒不

不起灰白痒塌一切沉寒之症非此不可以益火之源當爲要藥如痘外則煩熱外則紫黑誤用爲害不淺若用附者

一木香宜切厚片防草黑豆蒸透用和胃健脾除痢止渴散諸滯氣如神溫中除腹痛更妙凡痘出不快者用此順氣行毒而痘出自快頂陷即起若氣虛煩熱者不宜輕用若多用久用恐走泄太過又熱症燥症尤忌之

一丁香煖胃逐寒腹脹泄瀉凡虛滯者不可少厥冷痘白者宜之丁香溫能救裏官桂溫能發表故並用以治

表裏沉寒之症　一陳皮和脾胃達陰陽開痰行氣和
胃消脹不升不降同参芪散滯氣痘始終俱用如氣虚
症候兼在灌膿之辰不可過多若自汗吐血氣弱皆所
禁用以其辛散走泄也宜炒用之　一枳殻下氣寬膓
凡痘初發熱胸膈不利有宿食有滯氣及熱盛氣粗者
俱可暫用若多服則損中氣宜麵炒用
一山查解毒發痘消食健脾化痰行結氣催瘡瘍消滯
血無辛香之耗故可為参芪之導引痘用之者以毒由

血熱氣滯賴酸味入肝溶化其血毒爲膿水也然性專散血解結多用則内虚凡氣虚便溏者切忌去核用留則作渴

一糯米温脾胃之中氣制紫草之餘寒助血生漿能制痘毒不致内攻凡脾胃虚寒作瀉或五六日不起發灌膿者尤妙用辰煻粥最宜

一紫草治痘紅紫目赤血熱毒盛之症用此凉心開竅使熱毒發越痘易起也至五六朝用紫草必下糯米五十粒以制寒性損胃致瀉惟火熱便秘者不必糯米但性屬寒滑利不可久用過

用恐致泄瀉成虛若非血熱及見大便滑利者禁用

一紅藍花治痘血熱血凝不行汚血化成瘢黠用此行滯有去舊生新之妙多用則行血破血少用則活血歸經入心養血和血與當歸同功大抵活血之功多而養血之力少

一紅花子呑數粒能不染天行痘瘡凡瘡色紅紫者血熱也宜紅花酒浸晒乾用如瘡子黒陷者用子酒浸晒乾漫火微炒用

一胭脂即紅花汁成之痘將出辰以此塗眼四圍痘不入目兼能活血故解疔毒最良

一牛蒡子一名鼠粘子潤肺金而退風熱利咽膈而散諸腫清利咽喉之聖藥解痘熱毒之必濡能又發痘涼血助藥行漿凡痘熱盛紅紫便閉者最宜但性通臟滑竅多服則內動中氣外致表虛如病後氣血虛弱痘出不快而泄瀉者癰疽已潰者並禁用　一連翹清三焦浮遊之火散心經熱毒之痘風熱陽毒癰腫痘後餘毒散鬱除濕若非實火熱毒不可妄行　一玄參初起熱毒盛者用以清利咽喉并治一切熱毒癰腫頸中瘰熱咽

喉腫痛及痘後餘毒並治若腎經痘禁用與脾虛者切忌

一黄連解諸熱毒瀉心肝大腸之火凡痘血熱而熱毒盛者并酷暑患痘又血熱者俱宜酒炒用若未出辰忌服恐致氷伏其毒也又不宜久服久服則毒氣反從大起

一黄芩瀉肺胃火解熱毒養陰透陽上焦熱盛者可用輕飄瀉肝火細实瀉大腸火但於初起以至灌漿俱禁用惟收靨以後餘熱毒盛者皆宜安胎尤不可缺如脾胃虛弱脉沉細者切勿混投

一犀角解心火及肝脾火凡痘中血

熱吐衄及焦黑驚搐煩燥不寧等症皆可用之以解熱毒丹溪謂屬陽能散痘後餘毒若血虛者忌然諸痛瘡瘍皆屬心火在初用之不無冰伏在內之虞在後用之不無引毒入心之患以羚羊角代之更神效於犀角

一石羔清肅火寒善降陽明之火凡屬陽明實熱而為頭痛目腫口瘡咽痛身熱煩渴狂躁便結者非此不能解故能治痘熱極胃爛發瘢能清胃發痘止渴生津然疹家最宜痘家少用若胃虛寒者尤宜禁之

一大黄治痘初起熱毒壅盛用以瀉諸寔熱大腸燥結腹脹煩满大人壮寔血熱毒盛者宜之然大傷脾胃不可妄用欲下行宜生用之若邪氣在上者酒浸用之凡症非大寔熱不可輕用

一膽草專治痘疹目赤腫痛肝膽胃中寔熱若虚人泄瀉忌用宜酒洗晒乾用

一梔子利小水降脾肺膀胱之火使從小便中出

一升麻解百毒升提陽氣散風寒故用以升發痘毒出表乃痘家之聖藥但用太過恐有倒陷之患故不宜過

用痘後元氣下陷者亦用之　一葛根發散風寒善解肌表之熱止胃虛之渴初熱辰用以解肌托痘其氣輕浮鼓舞胃氣上行生津液而解肌熱真神功也但與升麻二味症見有汗者發搐者唇白者眼梢紅者見點後者夏月表虛汗多者並禁用　一麻黄泄衛實去營寒調血脉通九竅開毛孔發汗解肌消赤黑癍毒痘瘡倒黶黑陷者凡陰寒沉滯之邪非此不能散亦痘家之要藥倒黶黑陷者用半月去根節先用沸湯泡過晒乾切細又以酒浸良久炒焦黑乃用水煎乘熱服服後不

得見風其瘡復出若以酒煎功效尤速出遲者亦可用如冬感冒大寒而痘難出者症見發熱惡寒用之以散寒邪見點後忌服更有一重痘極硬而不肯灌漿名曰鉄甲痘用此令痘作爛方有生機然開竅走泄太甚誤用則表虛氣脫

一白芷專治初熱頭疼痘無膿作痒虛寒不起及不結靨性辛燥不宜用於血熱灌漿之辰惟癢甚者暫用痘後手足癰毒者亦用如陰虛火盛者忌之

一防風凡痘初風熱發表不可缺如瘡痙痒者與黃芪

同用手足不起發者與白芍桂枝同用以酒炒用之瘡太濕者用之風能勝濕也瘡乾者亦用之以其能行藥中之潤劑故曰利熱解毒和血止痒然不可久用蓋性辛純陽終屬走氣耗血也

一薄荷消風熱消頭目之腫引諸藥入榮衛發汗利咽喉亦解熱毒凡痘壯熱風痫驚搐者暫用之若久用多用走洩心氣耗陰損陽

一柴胡解肌表熱凡痘初發熱而熱毒太甚者亦可用以托毒主治寒熱往来痘後寒症不宜用

一荊芥寒熱瘡疥皮膚作痒疎風解肌通利血脉同發散藥祛風除熱表發痘瘡痘後用以退癰毒解除熱毒其功長於去風邪散瘀血破結氣消瘡毒爲風病血病瘡病之主藥　一桔梗性味輕浮能載藥上升故能治痘熱毒咽喉腫痛寬胸理氣開提氣血托裏排膿利咽發痘

一木通大利小水善泄心與小腸之火使痘濕熱之毒從小便而出凡内熱毒盛者宜之心經蘊熱驚悸者更妙若初熱辰熱毒下注泄瀉小水不利者用此通導若

難醫者用此以利膿漿濕潤之氣下行若乳母服藥須此引經至如痘後發癰以木通節酒洗晒乾用亦利關節通血脉之力耳若熱退中虛者不可槩用

一澤瀉利水下行能去濕熱凡痘瘡小便赤澁者用之但多服則津液耗散凡陰虛於下而精血不足者當避之

一大腹皮消腹脹除浮腫散毒氣如脾虛水泛者禁用

一皂角解熱毒專治痘平塌用之引托裏諸藥直達瘡所高聳灌膿痘後癰毒亦用以引諸藥

一米仁即薏苡益氣助胃除風濕理却氣利膿漿下行治脾虛水泡泄瀉脾弱瘡濕難醫並用

一麥冬安五臟潤經益血清熱補心生脉止煩清心潤肺宜痘五六朝肺氣虛弱通喘作渴及痘無膿者可用痘後尤宜但不可早用恐引毒内行若泄瀉者尤忌之

一薑活獨活凡痘初發熱身熱頭疼表發痘瘡二活不可缺經驗者尤所重焉若在夏天汗及多表虛者忌之

一山藥益氣健脾滋陰除濕止瀉進食凡痘將灌膿以

及痘後補虛與所必用氣虛之症尤所重焉

一天麻療風熱頭眩治麻痺驚癇通血開竅凡初發熱有前症者可用　一赤芍有瀉無補攻血痺少痛專解血熱痘毒化瘢消腫並用瀉血中之熱行血中之滯

一紫蘇解肌發表頭疼身熱咳嗽痰涎凡痘前乾熱無汗暫用葉惟破散莖又行氣為表裏之藥隨所以見功

一細辛散諸風主喉痺凡痘初發表及痒塌者間有用之不可常用多用　一丹皮治痘凉血熱化瘢腸胃積

血吐衄能瀉陰中之火其功多於清熱而更長於行血

一何首烏治痘荣血不足過期不歛及以痢久痝尤宜

一肉蔻即肉豆蔻治痘胃寒泄瀉吐逆咬牙寒戰之要藥温中開胃消食下氣脾得補而善運化若瀉痢初起及有火者不可早用

一穀星草主明目去膚翳星障尤要有用兒糞者以兒善食此草耳如未出莱（辰兒糞不可用也）

一射干治痘咽痛不得消息痘後結核散結消腫用之（去核切片以甘草水浸晒乾用）

一山豆根善解痘毒止痛消一切瘡腫痘

後咽喉腫痛者尤宜如食少泄瀉虛火上炎而咽喉腫痛者忌服

一淫羊霍治痘絕陽不起無膿者亦爲要品

一前胡凡痘初熱疑似未明風寒咳嗽痰涎者可用

一萆解治痘水泡太盛不能乾靨者用以滲收濕氣

一蘆根治痘初起胃熱口臭透口四圍痘密者最宜脾胃虛寒者禁用

一燈心利小便清心解熱與木通同功

一訶子主開胃澁腸止瀉痢咳嗽凡痘家腸胃虛寒泄瀉不止者暫用然澁能阻塞肌竅氣虛之症用之毒亦

不能前進雖能溢泄勿輕用也　一炮薑温脾理中脾
胃虚寒吐利沉寒身凉瘡白者宜之若内寔壯熱者禁用
一煨薑治痘吐瀉灰白不起者用之以止嘔和中助陽
發表佐参芪之力　一生薑去寒邪頭疼鼻塞咳嗽吐
痰解鬱開胃止嘔吐之要藥治痘惟宜於初起重冒風
寒者暫用　一葱白痘初起熱用此解肌夏月忌之
一胡荽凡痘疹難出用胡荽二兩切碎酒蒸除出頭面
從項以下遍身俱噴之避風立出又可噴痘家床帳衣

服辟惡除穢　一杏仁散風寒痰結痘初熱亦暫用

一大棗安中養脾胃補少氣生津液暢榮衛和藥性灌漿辰宜用之　一圓眼灌漿辰可入補托劑中（但泄瀉腸滑者少用）

一蓮肉清心止煩健脾開胃止瀉凡灌漿及收靨期日俱可常用乃心脾胃家之要藥

一白蜜和麻油拭潤乾靨牢粘可落

一鹿茸峻補精血有情之品痘家以爲充釀膿漿之要品

一羚羊角清肝肺解熱毒血熱痘症宜之較之犀角凉

心者更無氷伏痘毒之患故其功力尤穩耳

一穿山甲大能起痘解毒凡痘陷伏者必賴此發起若無陷伏者不必多用以致反耗氣血用之防燥咽喉宜取前爪上甲以東壁塵土拌炒黄去土用或用人乳拌炒尤妙

一公鷄雄鷄頭腦大能發痘凡不起發或頭面陷伏不能灌膿者食之最妙當灌膿展不拘鷄頭鷄肉煮食亦佳

一鷄冠血和無灰酒服之初起發痘最宜蓋鷄有陽星而屬巽風頂血又至清至高也用之神效

一露蜂房去風解毒利熱希

痘善分窠粒痘密者二三四朝用以分窠

一蟬蜕發痘疹不快解毒而退風熱兼能明目又治風氣客於皮膚搔痒不止凡紅紫熱甚者可用寒症忌之又不拘寒熱虛寔凡頭面痘不起用頭足不起用足身不起用身乃退熱止痒之聖藥倒陷黑陷者俱可酒洗研末湯調服之兼參芪同用則虛痒自愈但開肌滑竅多服恐洩元氣以致虛表　一白殭蠶治驚風痰熱四肢搐搦除風熱解毒發痘和衆灌漿安痒拔疔毒極效

一地龍治大熱小便秘痘瘡癥紫奇功

一紫河車大補氣血凡痘氣血兩虛者用之

一人牙用以伐腎經之邪凡痘黑陷咬牙者可用或灰白陷者亦可用（人煅或酒碎或韮汁碎止用一二厘不宜多服或單用或加射少許）然性烈發表太過內動中氣外增潰爛萬不得已用之

一人糞主解諸毒善治痘黑陷并辰行火熱狂走（用乾人糞於臘月取東行極乾者火燒尽煙研用之）

一人乳補五臟精血痘不灌漿者用以助之然斷乳已久者初服之易於溏泄

一羊頭腦能清凉發痘　一嫩羊肉能助血行漿
一桑蚕凡痘初起大能發痘或隨出隨没者神效若氣
虛陷塌不能灌漿者亦可用大桑虫有人參之功若取
其漿冲人參湯服尤能補托冲紫草湯服又能清托血
熱痘症但已發透及灌漿多者且泄瀉者不可過用也
景岳曰桑虫亦名桑蚕不知創自何人用以發痘今俗
以爲奇品覓相傳用余嘗遍考本草痘疹諸書皆所不
載及審其性質不過陰寒濕毒之虫耳惟其有毒所以

亦能發痘惟其寒濕所以最能敗脾且發痘者不從氣血而從毒藥痘雖起而中則敗矣矧以濕毒侵脾弱稱何堪故每見多服桑虫者痘發則唇膚俱裂脾敗則泄瀉不止前之既覆後可鑑矣其奈矇矇者率猶長夜之不醒何也蓋但見痘之死而未知敗在虫毒也余欲呼之用知伐柝而併警夫作俑者之可恨

一陳黄米氣温益真氣而和胃氣除煩渴而止泄瀉開胃進食凡痘瀉渴者宜炒熟熔湯服之最宜

一扁豆生用則清暑養胃炒用則健脾止瀉

錦囊治案

心領神會在此　甚矣天地之氣司薄而人所禀之氣亦日虛也痘瘡一症有因誤於疎表用毒藥太過正氣無力主持壬其藥力之猛毒勢之鋭冲擊一湧而出然腠理未疏氣血兩弱何能周行肢體形高聳而粗肥色潤澤而甚美所以頭面獨多者火毒炎上也其形如麩如瘡者發熱未以腠理閉密俗云地皮未熱而氣虛無力透出藥毒猛逐出表之象也其色如疹如丹者熱毒逼

燥而榮氣逆行於膚表也然如疿如瘖之形即身中之
氣如疹如丹之色即身中之血既將氣血趕出於肌表
復謂火毒盛熾寒涼解毒清胃化瘀氣血既不能續運
於中寒涼復傷胃氣於内歛不乘虛内陷其可得乎窃
因氣血不克調治未善以致毒化未完氣血先竭而斃
者凡此皆因禀受既虧所謂火與元氣勢不兩立元氣
虧而所勝之火毒益盛矣又於痘瘡初起凡属腎元不
足者宜按尺脉之陰陽虧損固其天真以噓腎元逐毒

出經切勿誤用苦寒以遏熱毒在內便成潰內莫救至於外無風寒閉塞及肥白皮細肉脆之嬰兒重幃豢養之子弟切勿重加疎表以至正氣無主乘勢奔潰而出矣倘腠理表虛邪毒熾盛不待藥力而一齊湧出者宜乘其暫退毒盡在表熱其勢其姑在少緩之辰五臟六腑正在苟安之際此辰其中止有正虛乘勢急察陰陽之偏損對脉填補應犯而犯似乎無犯五六朝來已有充灌成漿之具矣若到灌膿期限火毒之勢復熾滋補之藥

便多碍手難投卽溫補之功亦難驟於應手余有求情論專發其義（在發熱門）如此挽救十可一活至於不收靨還元者非氣血不能續運於中卽脾胃有失化源之本也調理脾胃補益真元長養氣血元氣勝而毒自消弭此易見之理也　一案蔣總憲之令孫女年八歲先天最薄忽見微熱面青肢冷腹痛吐水項倒神疲六脈甚微重按若無余曰此中寒元氣內傷之候雖防出痘難兩解職只可憑脉溫以散之可以去疾病可以化痘瘡書

所謂內傷多者只宜溫補正氣得力始能推出寒邪也
乃用炙芪二ㄅ白朮三ㄅ當歸一ㄅ五分炙草五分薄桂八分煨姜膠棗
為引煎服次日神氣稍爽面青退而四肢溫脈稍起而
項稍彊身壯熱而痘候現矣照前方去黃芪更進一劑
乃大熱而次日見痘神氣少壯但脈尚弱而無洪體余
見痘點鑽唇知必繁密不敢迅攻惟照前方溫補氣血
令其陸續而出果至三四朝來勢甚稠密幸無蛇皮蠶
重之狀此溫補氣血而氣血送毒出外之妙也若以毒

藥攻擊則毒潰而出如麩如瘡所不免也乃於前方更
入参芪温補痘與精神飲食日長一日而愈
一案總憲兒十歲夜半發熱次早太陽額上已見點連
片而不紅腰疼皮憊六脉無根余知先天陰陽兩虧脾元中
氣甚弱不能拘制其毒得以安参陽位然脾腎兩虛則
無力送毒出經勢必沉匿而爲内潰乃用熟地八ツ當歸
三ツ白术四ツ茯苓三ツ炙草八分肉桂一ツ半升麻六分生姜膠棗爲
引煎服次早顴臉之間一攤而出如麩如瘡稠密無縫

六脉沉微倦怠幸而腰疼愈矣余知中虚若此而復如是重痘若不托住本元旣能一攤而出豈不能一攤而入乎蓋正氣虚極無力主宰任毒縱横若不乘其毒盡出在外之辰急爲填補中氣調益營衛何以爲克托成漿化毒收功之用哉仍照前方去升麻别煎人参三钱膿煎汁冲服服後甚安次日又照前方别煎人参五钱冲服次早神氣少壯飲食少進顴臉之痘少起脹而紅潤天庭之痘亦非前之純白色也余曰前者人参止用三钱

不過少佐白朮之力以固中寔歛攘血藥先爲建功耳所謂補血藥多則補氣藥從之而補血也今雖色轉而嬌誠非蒼固之象漿清痒塌之候勢所必至可不急補衛氣以保之乎乃用人參六ソ生芪四ソ熟地五ソ炒乾白朮三ソ歸身酒炒二ソ茯苓三ソ炙草八分肉桂一ソ二分煨姜膠棗爲引早晩各進一劑若大便一次另煎人參膿汁單服如是調治飲食漸加精神漸長膿漿漸濃尚然七朝搔癢作而頭面爬破其半幸充灌在前爬破在後痘毒化於表藥力

充於裏不能為害仍照前方加減直至十日之外痘蠹而黴臭余曰毒盡化於外矣少減人參佐以養陰退陽解毒之劑痂落疤痕紅潤精神飲食俱倍於常古云人參戒用於三日之前今不得已始用亟求姜桂二朝便用人參三朝便用參芪峻補寔因病情脉理危廹處方其勢不得不然也　一案於王店鎮寒宗一舍侄年七歲平辰嗜酒少食蓋嗜酒則真陰消耗少食則元氣空虛是以一遇痘瘡發熱神昏不甦者竟日醒則口不能

言目不能見醫用疎表攻托痘不甚起而驚厥益甚乃
延余視按其脉六部洪數而豁大無倫身熱如火五心
如烙余曰此真陰虧極而不能歛陽神無所依浮越散
亂再爲疎解愈耗其陰再爲攻表愈乱其神不能言者
心不能爲用也目不能見者陰不能歸明於目也五心
如烙者臟腑燥槁已極也欲望其肌竅滑潤流通氣成
其形血華其色排列壘壘發臓肉之間焉可得乎况驚
厥一次則神氣散亂一番愈厥愈散未傷性命於痘瘡

先究神氣於驚厥矣必須求源溯本以為不治之治乃以熟地一兩麥冬三錢生地六錢五味六分肉桂一錢二分煎與溫服或以五味酸收為宜余曰單使之則得自專酸斂之能今內有肉桂大力君主之藥一鍬而辛散之勢愈烈正欲借其斂納以收浮散之元陽隨肉桂之辛溫導入坎宮之命究真火既歸於內陰翳之毒自顯於外神自清而目自明不待言也乃服之一二果驗而愈

一案於相國之令侄孫女患痘亦發驚厥數次目昏神

亂而痘雖出身發微熱而六脉沉細重按則空此正氣虛極不能化其毒火攻冲愈厥愈虛而出愈難愈難愈厥而氣愈虛前之脉洪數豁大者則責之真陰不足不能斂陽而陽無所依散亂於內焉能逐毒藴之六脉沉細而無根者乃責之真陽正氣空虛無力載毒出表也仍以白朮三ㇷ酒炒歸身一ㇷ二分茯苓一ㇷ五分炙草四分肉桂六分煨姜膠棗爲引煎服一劑而痘出二劑而神清三劑而目明痘瘡光彩而精神飲食俱倍矣二者之驚厥目昏同

也脉之洪數沉微有異則藥之救陰救陽乃逈別矣故痘初發熱稍輕至三四日痘尚不出不可槩爲毒輕毒少若神清能食見點尖圓紅潤朝暮易眼者此真毒輕痘少若身熱雖輕至三四日而倦怠不食痘白無稊易起發者此氣血虛弱不能送毒出外也急用温中益氣鼓舞榮衛以托之甚者連服三四劑始能中氣旺而送毒出其痘必多也如不知此輕視忽畧五六日後毒氣內攻莫救矣若見口乾舌燥解毒清凉益增氷伏內攻

之禍古人有熱輕則痘輕之言可盡信乎及六日以前
勿用温補之説可盡拘乎故初頭分其虛實寒熱實熱
者宜發其壅滞而逐毒虛寒者補其氣血以送毒且痘
之始終有險微不測者二一曰毒盛二曰體虛未出之
辰三五日而斃者皆因毒盛也治者能順其勢以導之
出勿用寒凉解毒以阻遏之則雖盛未必死也及痂落
之辰或因一藥一食之誤而斃者皆因體虛也治者察
其虛而補養之更防其虛勿清解之則雖虛未必斃也

一案云信乎無形之真陰真陽而為生人之本且治痘須察人元氣而不可憑乎形質也余六児乾德因稟母氣不足形肥皖白肉勝於骨大便燥結便甚苦楚不知者以為脾胃壯寔此寔腸中少津所以大便燥結腸中少氣所以大便艱難且週歲之内辰患氣從臍下直奔而上咳嗽不已或用人參一ソ帶衣胡桃二枚煎服而愈後用此不效乃用八味加牛膝五味煎服甚安即以作丸每早白湯化下ソ餘然不耐疾病而偏疾病最多或旬日

一病或半月一病病即委頓不堪余審其受寒發熱乃陽不足也即用辛温衛氣之藥以散之如生姜苓朮參蘓薄桂之類如受熱發寒乃陰不足也即用辛潤榮氣之藥以勝之如養榮湯地黄湯之類如停滯發熱乃脾氣不足也即用扶脾之中佐以推揚穀氣以化之如孤陽浮越而發熱不已必審其因於脾虛者則甘温以除之因於陰中水虛者則壯水之主以制之因於陰中火虛者則益火之源以消之務使壯火仍爲少火而歸藏

於中勿縱其壯火力窮於外益病發有餘之日卽正氣不足之辰設使從標攻治則正氣不足而藥更不足之虛者日虛精神何自而長故如此調治以来疾病漸少精神漸生但肉勝於骨形肥皖白得之先天不足也是以出痘必犯腎虛内潰之患爲憂不意將及二週而當五月五日身熱汗多煩熱殊甚發熱不及一日而見點於天庭右太陽色白無光彩摸之不碍手余欲攻之則恐一齊攤出余欲托之則恐汗多身熱能不慮其向来

不足之腎陰益令熬煎枯竭耶况腎陰一竭則陰火愈旺而煩燥愈甚壯火蝕氣則正氣益虚而困頓益增痘將何所假借以呈其形起其色而得噀之濡之之用哉斷不可以尋常治痘之法為用矣故一朝止用大料六味地黄湯加升柴令乳母連服二劑惟使腎陰不竭而噀濡有力毒不能况匿於腎也二朝痘已漸見無内潰之虞但痘白與肉色無殊身與四肢粗肥面上隱隱如瘔此陰虚不能起色陽虚不能上達况身熱汗多煩燥

如故而神氣更疲則陰津陽氣並耗於外可不托住中氣填補真陰滋其化源抑其煩燥斂其浮游之陽逐其陰翳之毒降其清濁之氣以令清陽之升耶故用熟地六ノ白朮ノ二牛膝ノ二炒燥麥門二ノ五分五味四分極甘肉桂六分服後壯熱少減潰汗少斂煩燥少寧痘瘡陸續漸出矣三朝四肢甚是起泛其頭面雖見而不長且色白與肉無殊余思氣血大虛不待言矣且元首見點未全四肢便已起脹囊有水色此脾元不足肝肆強陽四肢一鬆

元首見點起脹更難矣況將来水泡發痒可立而待也乃用芎歸芪朮炙草桂心天虫角刺煨姜大棗爲引早晨服一劑不用人參者晩間照此再服一劑内加人參少餘所謂應犯而犯似乎無犯豈拘古人人參戒用於三日之前爲定論乎四朝痘雖起而無神其色白如故惟有大補氣血兼重脾元爲主乃用參芪芎歸苓朮桂心炙草天虫甲片角刺煨姜膠棗爲引五朝形雖稍起而無神色雖稍紅而甚淡藥惟參芪歸桂炙草天虫角

刺甲片姜棗補托而已六朝雖稍長而晦滯色雖淡紅而枯燥余思此原先天真陰真陽不足今雖大補氣血尚不足以盡之蓋滋水兼得養血養血不得滋水也乃用熟地五錢以滋水肉桂八分以補火人參三錢以駕驅藥力補助真元七朝手足水泡已甚而面上枯槁不榮其大便向來間日一次甚乾燥者今忽便溏二次而失氣甚頻則熟地補陰之功緣中氣甚虛雖有參桂不能運津液外達以成漿而且其下陷之勢以失氣溏泄則中氣

愈虛能保其不瀉泄無膿倒陷乎乃用人參五ノ以保元
白朮二ノ以固中與附六分以通經達絡潰堅腐膿恐走下
太速用炙草六分以緩之四味力大功專中氣賴以得克
津液憑茲外達但欲宣揚鼓舞使津液無微不達乃桂
枝之能致乃用三分以為使如此一劑將數日調養之
精益一夜頭面身體盡化膿漿而蒸腐清水之泡変為
膿濁但疼痛煩啼乃煎生脉以補接元氣養其釀漿之
勢恐不耐痛苦神氣一傷漿勢反致退去也八九十朝

以來惟早晚各服生脉平辰兩服加味八味丸少餘乃依部結痂精神日長飲食勝前頻湯躁急俱爲全愈如此善爲調攝痘後尚然手背浮腫脚腫更甚余思此胃氣甚虛四肢無所禀受其脚更腫氣虛不能升舉也乃用人參一錢五分 炙草六分 炙芪一錢三分 白术二錢 茯苓一錢半 歸一錢酒炒 升麻蜜酒炒 柴胡各三分 煨姜大棗爲引煎服數劑虛腫乃退但爪甲色黃而燥乃肝榮不足也足痿不能立此腎元大虛也乃用六味加骨皮蓮肉爲丸每日早服二錢

滋肝腎以助筋骨之用日中以入珍服養脾胃以助化源之需

一案余長孫大業稟受先天真䕃不足且平辰酷嗜甘

物菓餅而粥饘甚是希疎以致脾虛濕熱大便素溏外

生瘡疥內蓄蚘虫年方五歲當五月發熱見痘紅紫而

無潤色朝暮全不易眼乃久患瘡疥血少血熱而且滯

也奈胃氣久虛濕熱太重一二三朝無非升托清解凉

血如升麻葛根蟬蛻天虫甘桔牛旁生地木通紫草笋

尖之類無如穀氣久虛蚘虫大厥腹痛嘔吐藥亦難受尺

許之虫一吐數條愈吐愈盂愈盂愈吐粒米不進勢甚狼狽五六朝来惟為溫補攻托以杜中盂倒陷其藥參芪炙草當歸熟地山藥甲片角刺肉桂煨姜大棗為引奈服後少頃復吐七八朝来痘雖起脹然上吐下瀉兩津液不能外達痘囊何能濕潤成漿乃用參五錢朮三錢炮姜一錢五分炙草六分附子八分如此大藥到口亦吐余思藥力雖大下咽未能即達經絡可不能吐出者乃於藥內加燒酒三錢服之始能半吐半受內仍泄瀉不止外仍乾涸

無漿皆因脾元中氣素虛不能運行津液以濡潤百骸而三焦腸胃之腠理鬱抑結滯緻密所以縱復多飲於中不能浸潤於外以致内濕外乾也乃用人參（三ㇷ）保元以爲君白朮（二ㇷ）固中以爲臣炙草（四分）緩其下行以爲佐麻黄（八分去節酒浸炒焦）仗其輕揚之力率領諸藥外達皮膚生附（六分）通經達絡潰堅蓄膿並以爲使煨姜（三片）止吐和中助陽達表以爲引如是一劑驅腸胃濕熱之氣外達皮膚盡化爲膿以凝以滯之毒一劑頓爲屍解濕熱既清

其蛇虫畜於内者亦難自安前後共出二十六條自後惟飲獨參湯調理飲食切戒甘肥痂落之後日進六味地黃丸二ゾ而飲食精神俱爲倍長

一案蔣先生之令孫女年方半週纔熱半日而見痘面色向來皖白余早料出痘必細密漿清者果至見點不但稠密無倫其胸背手足之間如蟢窠形蛇皮段者不一而足面上之痘方及三朝乾枯灰白背項之痘紫陷不榮要知元氣既弱而且滯榮血不能從氣以宣行故

面似氣虛身如血熱寔因氣血不能周流所以滯而爲紫根窠平塌散漫寔皆氣虛所致乃立進溫補充托早晨午後各一劑人參各ク四冲藥服之晚間另煎人參ク三濃汁單服其藥不過芎歸耆桂天虫角刺山藥炙草之類自四朝以致七八朝峻補毫不少緩平塌者漸至高聳枯陷者漸至潤澤清淡者漸膿厚其爲蠔窠蛇皮之處變成水泡潰爛而痊　一褰兒年五歲大便素溏飲食素少且素內熱而生瘡疥一日發熱吐甚乃延余視右

額有賊痘兩日矣即挑破用胭脂油封之更嫌嗆嗽殊甚發表藥內倍加清利咽喉至次日見點色甚紅紫仍用利咽托表凉血次日紅紫不減而頭面身體俱密頂甚平塌乃以前方倍加透托至四日紅紫略減平陷如故可喜者聲清不痛此清利之妙也至五日頂原不甚起紫色原不退欲全催漿血熱為碍欲再凉血恐氣虛之症易見泄瀉乃於透托之中而半清半補以催漿至六日形色如故乃用前方冲入人參服之至次日空處又出

無數贈痘前痘頂帶白色但根脚原紫乃用前方倍人
參始漸漸有漿一二分至八九日泄瀉咬牙痘色灰白
此血熱稍清而氣虛症已見矣乃用保元湯加姜桂而
泄瀉咬牙俱止但漿色原如是至次日往視已有靨矣
此因氣虛血熱兼血虛且又蜜甚則漿無由而成幸贈
痘一来而毒氣少泄且起勢便與清利故始雖嗆嗽音
啞而灌漿幸無喉痛難食之患且每見氣虛血熱者五
六日際血熱少解氣虛尤甚泄瀉灰白倒塌勢所必至

此辰用參一瀉更過則參力無益故早為地步凡動氣傷脾之品素勿敢投透托助脾之品早已為用至如血熱未清氣虛已要緊則人參原用紫草亦投猶恐紫草之寒倍加糯米以制之謹慎扶來今漿清淡而痘出無空地且素患瘡疥血少難以成漿但毒已外出故能食而不腹脹神清而不喘促當盡力調補使十二日外中氣不餒氣血少復自能祛毒成癰毒無容地自尋外竅而出矣果至十二日發一大癰於頭頂乃毒有定位可補托矣於

是外用吸毒膏藥使毒高聳而易膿傍用圖藥使不至毒氣散漫潰傷肌肉内服補托解毒之劑三十日而膿始盡靨方脱完疤竟紅活而全愈

一案王姓兒年歲餘患痘四朝延予治雖已四朝而粒窠未起且天庭一片如雲糊塗灰白舌有白胎余曰此痘毒未經傳出塞伏丹田大宜升提透托一劑而起二劑紅活三劑後顴骨身體俱有漿來但天庭一片灰白如故乃用参芪炙草官桂之類始得昂峻成漿收靨而

愈若是則雲掩天庭見為死症亦不可盡棄也

一案徐先生令孫未及一週而患痘甚密顴骨形如蠶重色似胭脂咳嗽便濇精神甚弱且向生瘡疥氣血兩虧更為逆候奈主人諄諄求治余乃重用凉血養血透托之藥三四朝來紅紫少減而顴骨已有乾枯矣余曰此痘太多而血甚少無以為充灌之用勢難成漿毒從何解內攻之禍理所必至惟盡吾力與毒相爭毒欲內攻竭力以抵托之氣血欲盡竭力以補接之氣血得繼

生於後痘瘡白無黑靨於表臟腑之氣得生發於中火
毒之邪可消解於外勿有疎虞致毒乘釁內襲乃重用
滋補充托日服二劑每劑人參五倘大便一次另煎人
參單服其藥如蒸地乾炒山藥角刺天虫人參黃芪炙草後
加肉桂六七日後白如錫片者皮黃色而少潤薄靨粘
肉者漸高聳而或厚痂巔骨地闊之痘未有漿者至八
九日来靨如石榴高厚光彩抑人參無形生出有形之
功歟十二日外元氣少復驅毒外達為潰瘡為癰疽為

口痈乃隨症施治兩月方能全愈彭令親深明醫理曰同診覕常曰此非治痘乃做痘也

一案朱姓兒年九歲發熱如烙口臭瘢紫腰疼痘則密如蠶重頂陷而紫真血熱而兼氣虛也余用大劑透托清凉化瘀之劑如天虫山甲丹皮生地紅花玄參粘子川芎羚羊角桔梗陳皮甘草之類以地龍煎湯加笋尖三寸紫草五分痘既出齊仍原用前方加减更入酒炒黃連五分清凉攻托至四五朝未火勢少解乃去黃連止用前方加

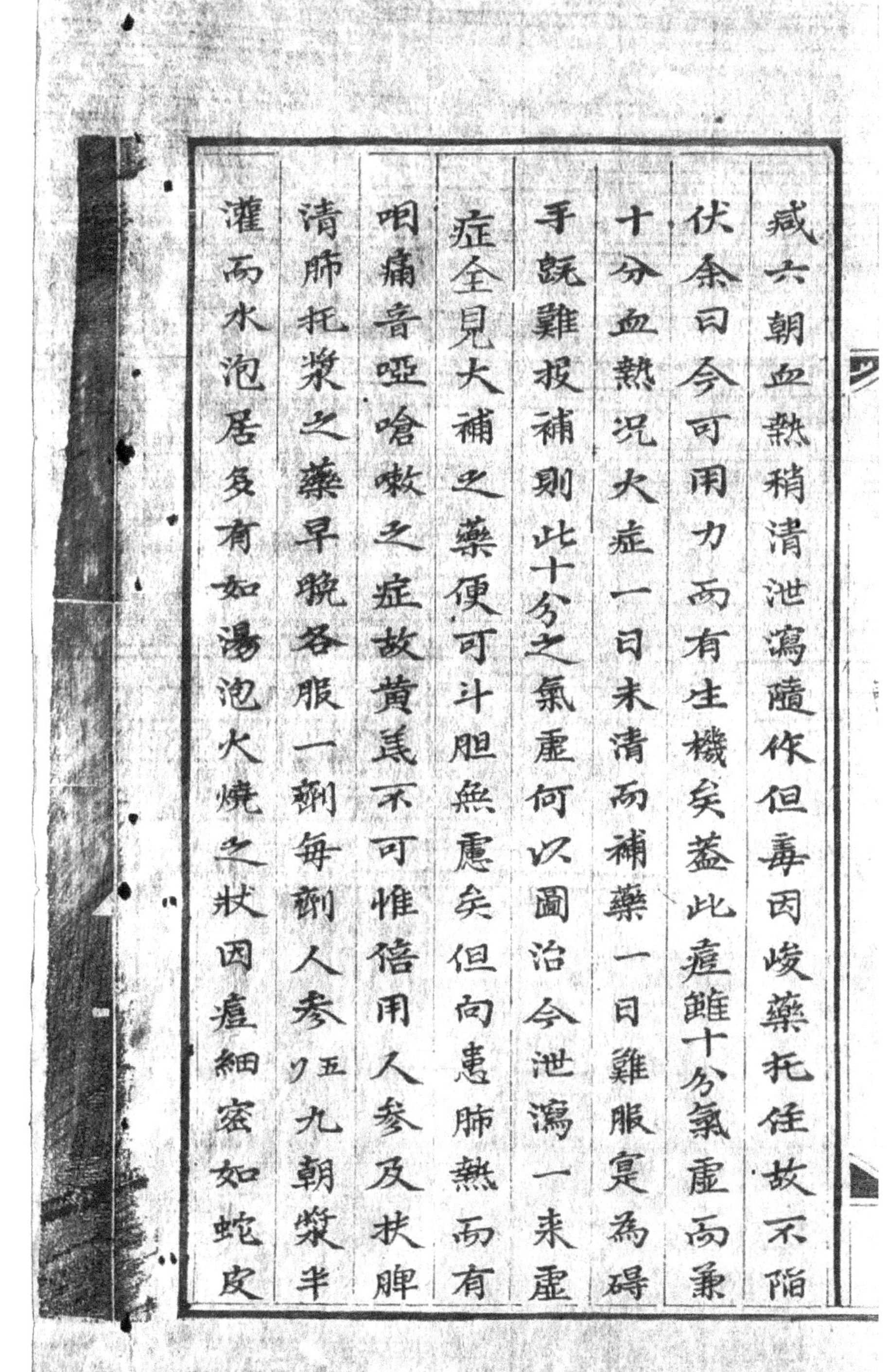
臧六朝血熱稍清泄瀉隨作但毒因峻藥托住故不陷
伏余曰今可用力而有生機矣蓋此痘雖十分氣虛而兼
十分血熱況大症一日未清而補藥一日難服是爲碍
手旣難投補則此十分之氣虛何以圖治今泄瀉一來虛
症全見大補之藥便可斗胆無慮矣但向患肺熱而有
咽痛音啞嗆嗽之症故黄芪不可惟倍用人参及扶脾
清肺托漿之藥早晚各服一劑每劑人参五ノ九朝漿半
灌而水泡居多有如湯泡火燒之狀因痘細密如蛇皮

而無空地兼稟氣又薄血少氣虛不能周灌所以皮囊連串清水成泡乃仍用補托兼為寔脾使氣血以漸而生餘毒自消化於外果至十三日痘作潰爛大臭乃取松花外摻內服補托解毒健脾滲水之劑漸得乾靨寔同脫殼此誠大危之症峻攻峻補以挽回者也

一案少司馬胡先生二令郎患痘初起甚危都中善治痘者一老醫斷其必死胡先生乃延余同治余見其方寒凉太甚所以水伏不出有腹脹喘急諸症也先以酒

釀鷄冠血調下獨聖散一服解其冰伏之勢已而喘熱
俱減痘有出勢其醫必以不救爲爭余曰無若是以重
主人之憂望爲同事吉則爲君之功凶則皆我之過其
醫愠色肆言無忌胡先生惟日夜痛哭而已勉留余寓
早晚調治十愈八九主人仍然不樂余莫能解竊知其
醫每日私来診視譁譁斷以辰日凶変直至結痂全愈
胡先生乃喜形於色悔聽醫惑幾致敗事余每次入都
往還如同至戚焉

一案云凡腎氣虛者脾氣必弱蓋腎爲先天祖氣脾爲後天生氣而生氣必宗於祖氣也余五見乾吉向来稟賦脾腎兩虛體肥而白外似有餘内寔不足壬申年隨余在都年方四歲當五月而出痘發熱一二日便已神氣困倦汗出如雨熱至三日而見痘余因汗多陽虛故一切疎解毫不少進不意三日外汗出不止内則清利甚頻所見之痘反隱隱退縮未出者尤氣弱不能出也余思書云氣弱而不能出者當微補其氣氣和則能出

矣況有是病而服是藥當無碍也三朝便投人參白朮各三ツ炙草八分以固中爲君天虫三ツ角刺一ツ土炒甲片六分攻托以爲臣川芎八分升提而兼辛散肉桂六分溫經而兼外達以爲佐四朝汗瀉少減出者少長未出者見形仍用芎朮參歸炙草天虫角刺甲片肉桂加棗煎服五朝起脹者少有膿色後出者亦有起脹之勢但面上之痘淡紅無光彩身背之痘紫陷不潤澤余思紅淡無光彩氣血兩虛之明驗也紫陷不潤澤者寔非血熱乃血滯而

不榮也然血之滯者由氣虛不能健運也只以溫補氣血為主仍用參芪芎歸山藥肉桂天虫角刺甲片粘米圓肉煎服六朝痘色紅活但皮薄而亮腫色清希西服水泡余知氣血弱而脾土更虛也欲投白朮恐久服乃滲釀膿濕潤之具欲投歸芪氣血並補恐開泄瀉滑走之端計惟溫補氣分使陰從陽長乃用保元湯加參桂五分滋補元氣以為君生芪二分充補衛氣以為臣炙草六分纔中補脾之藥粘米一合內壯胃氣外釀膿漿以為佐

肉桂宣通血脉鼓舞補托以爲使次日七朝膿色大長
用和中養漿之劑俾漿膿毒化而痂究竟痘不甚密秦
先天後天薄極脾腎肺氣並虚故如是早爲温補尚然兩
腿手足之漿悉以清淡勢類水泡多日而靨痘後晨瀉
復重温補而瘥

一案蔣先生之八令孫當五月而出痘痘不甚密但禀
先天真陰真陽兩虚肌肉皖白當此天令陽氣浮表壯
熱潰汗不止四五朝來痘反退縮平陷昏睡驚惕余曰

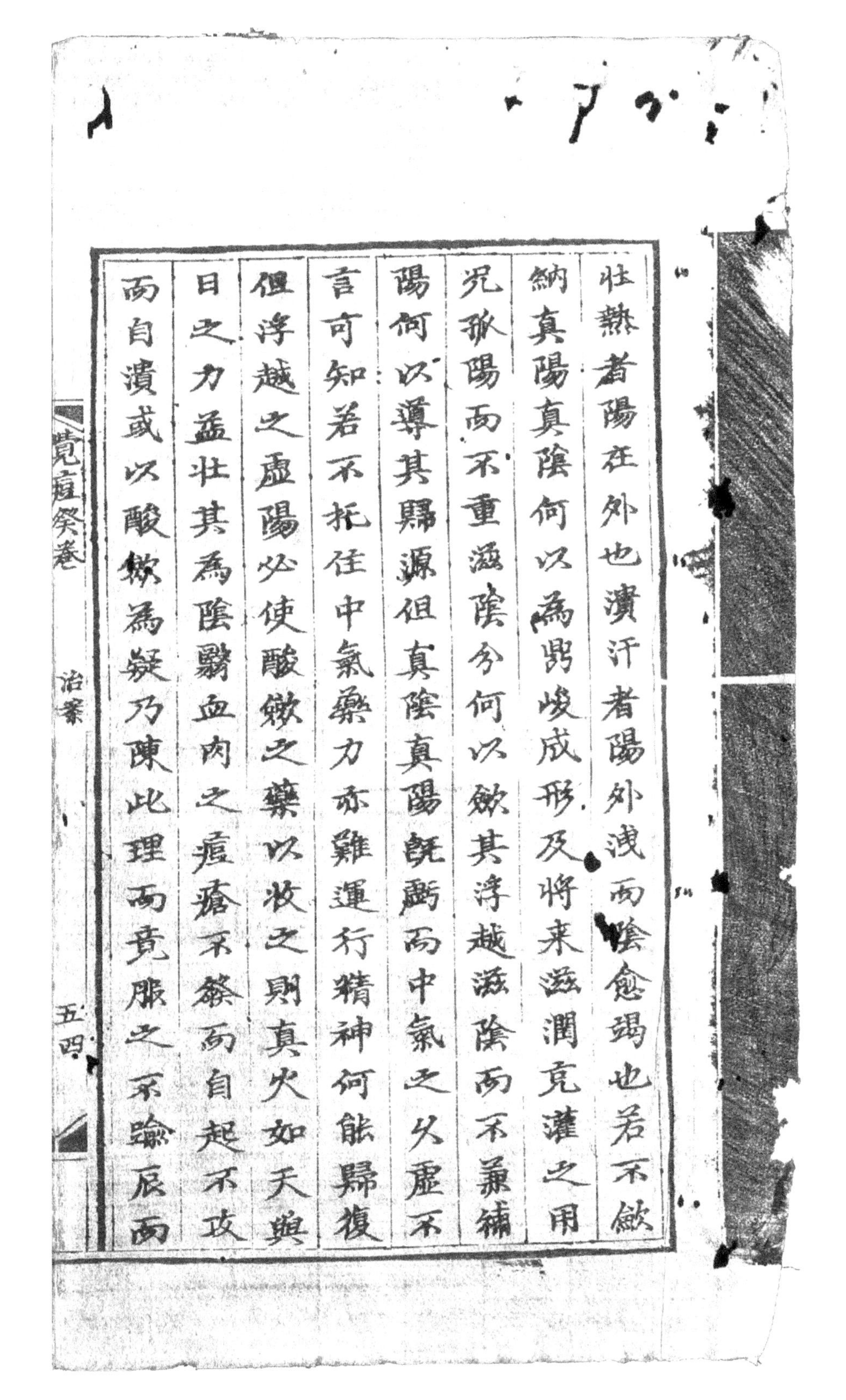
壯熱者陽在外也潰汗者陽外洩而陰愈竭也若不斂納真陽真陰何以爲嵝峻成形及將来滋潤竟灌之用况孤陽而不重滋陰分何以斂其浮越滋陰而不兼補陽何以導其歸源但真陰真陽既虧而中氣之久虚不言可知若不托住中氣藥力亦難運行精神何能歸復但浮越之虚陽必使酸歛之藥以收之則真火如天與日之力益壯其爲陰翳血肉之痘瘡不發而自起不攻而自潰或以酸歛爲疑乃陳此理而竟服之不踰辰而

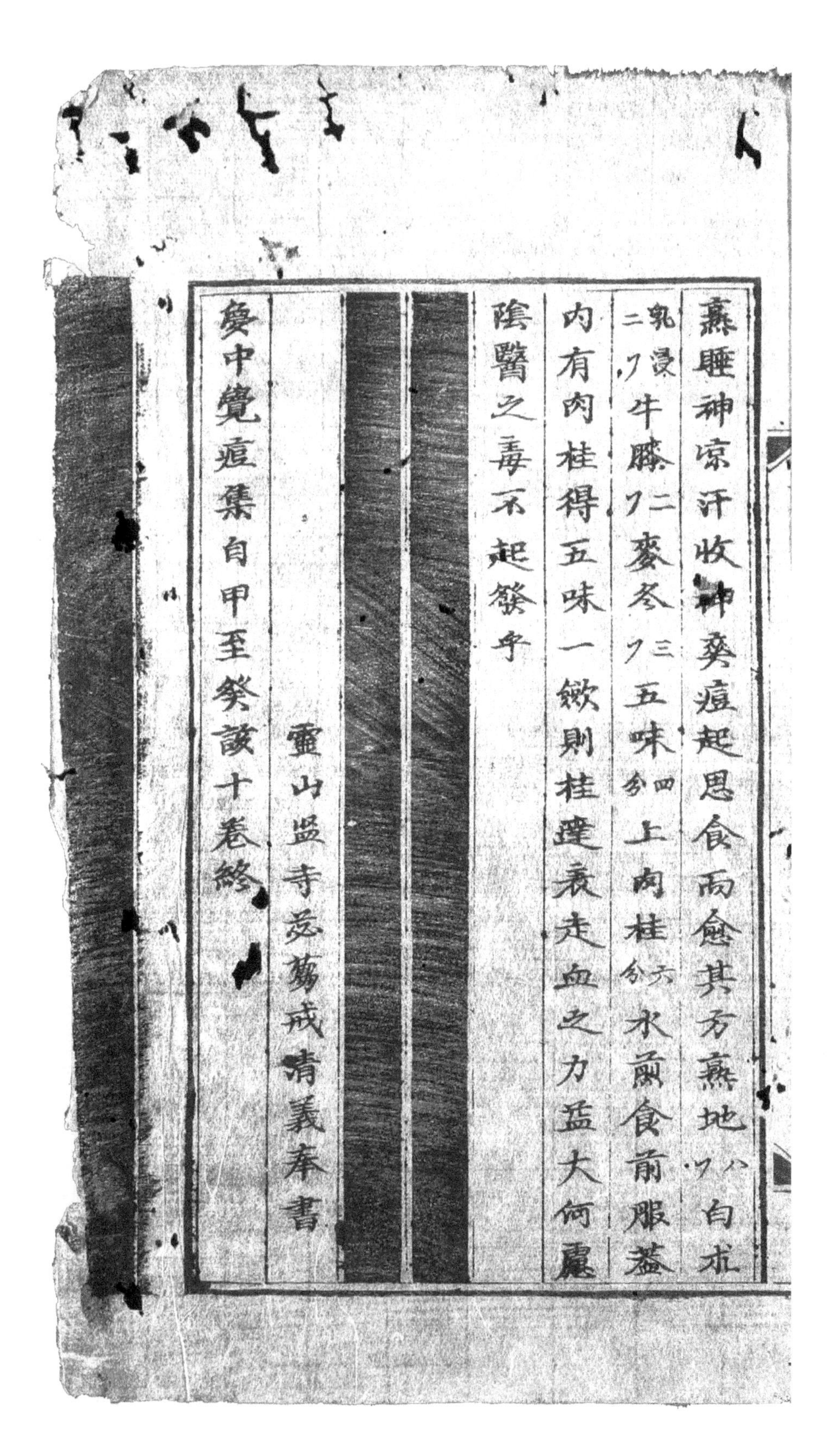
熟睡神凉汗收神爽痘起思食而愈其方熟地八ヲ白朮
乳浸二ヲ牛膝ヲ二麥冬ヲ三五味四分上肉桂六分水煎食前服蓋
內有肉桂得五味一斂則桂達表走血之力益大何慮
陰翳之毒不起發乎

靈山盐寺慈蕩戒清義奉書

痘中覺痘集自甲至癸談十卷終

R.1158

新鐫海上醫宗心領全帙卷之四十四

麻疹準繩卷　小引

疹與痘本是胎毒遇觸則發疹爲腑毒而輕痘爲臟毒而重故古之方書重於痘而忽於疹其法亦云疹變清凉痘變温此直指正治從治之淺深也率爲大槩之言耳然細求之痘之寔者不厭清凉疹之虛者何憎温補辛卯歲夏末麻疹大行香山一境爲甚有一家母子三四人俱罹此害余亦臨數十症陰虛陽無以化頭面出

不透或見而復沒余慈念常法首尾惟以救陰救陽爲事而全活中有一二人陰陽俱離脫勢益甚雖大劑峻投終不能挽書曰疹逆症多不治益信疹不爲輕症也治者不可不鄭重焉是以因叙疹之原委及形症順逆與夫前後雜症用方用藥輯成一套類之曰麻疹準繩以備一覽云耳是引　黎氏別號海上懶翁引

目次

皁源號捐十五貫　晋和號捐十貫　順泰號捐十貫
宝源號捐十貫　常益號捐十貫　永昌隆捐十貫
萬安號捐十貫　冠源號捐十貫　利貞號捐十貫

萬和公司捐十貫　昆泰號捐六貫　祥盛堂捐五貫

仁壽堂捐五貫　遂源捐五貫　劉東盛捐三貫

俊利捐五貫　宝泰捐三貫　陳生記捐三貫

皇朝嗣德萬萬歲庚辰三十三年正月吉日刻

板留大壮社同人寺

麻疹準繩卷

海上懶翁纂輯

後學唐郚武春軒奉較

疹原 疹非一類有瘙疹癮疹温疹葢痘疹非正疹也惟麻疹則爲正疹亦胎元之毒伏於六腑感天地陽邪火旺之氣自肺脾而出故多咳嗽噴嚔鼻流清涕眼淚汪汪兩胞浮腫身熱二三日或四五日始見點於皮膚之外形如麻粒色如桃花間有類於痘大者此麻疹初發之

狀也形尖疎布漸次稠密有顆粒而無根暈微起泛而
不生漿此麻疹見形之後大異於痘也須留神調治始終
不可一毫疎忽較之於痘雖稍輕而變化之速亦在須
臾也

總論 一麻疹以其形如麻而名焉亦本其胎毒多因辰氣
脏熱傳染而成如謂毒者卽火也疹子小而細密以屬
少陰君火陰道常乏故小而密疹毒出於腑屬陽主氣
故有形而無漿爲症有熱而無寒其發也先起於陽後

歸於陰毒盛於脾熱留於心熱毒之氣上蒸于肺是以發熱之初肺症獨多如咳嗽噴嚏鼻流清涕眼胞微腫熱泆汪汪面腫腮赤手掐眉目唇鼻及面者是其候也視之則隱隱於皮膚之内摸之則磊磊於肌肉之間其形若芥其色若丹出現三日而漸没是其順也隨出隨没須防有變如煤之黑勢難為也

夫陰陽交媾火毒遺焉男子陽盛則溺火中於氣而為麻毒發於六腑腑屬陽為氣故疹有形而無汁

夫疹出自六腑故頭面宜多見又貴一齊湧出而便觧爲妙其色又喜通紅得心之正色也

古者疹子出没以六辰爲準朝出暮囬夕形旦没何今之出或熱二三日或四五日及其没也必待二三日何歟葢昔人淡泊節愛腑毒原輕今人膏粱禀薄受毒偏深所以今與昔異也

凡諸癍疹雖屬陽症寔多由内傷乳食脾胃不足營氣逆行而然故虚火内熾爍其真陰覆於外此陰已虧極

也陰覆於外者陽亦外走也

治法　心法云麻疹出貴透徹宜先用表散雖寒勿用桂枝雖虛勿用蒼朮雖嘔痰勿用南星半夏使毒氣盡達於膚表若過用寒凉冰伏熱毒則必不能透出多致内攻喘悶而死至若已出透者又當用清利之品使内無餘熱以免疹後諸症且麻疹屬陽熱甚則陰分受傷血爲所耗故疹没後須以養血爲主可保萬全此首尾治疹之大法至於臨時權變惟神而明之而已

一治疹之法切忌内寒只宜解散於初出之際先發其毒要以盡出於外者為佳蓋疹子出透無餘事也雖紅腫之甚亦不必慮以其既發於外必無内攻之禍也然調治得法十可十全調治失宜禍猶反掌

一既出之後惟宜補陰以制陽蓋熱甚則陰分煎熬血多虚耗況既出卽解惟慮陰虚火動餘熱難清耳故宜滋陰補血清火為主凡燥悍之劑首尾當深忌不可一毫動氣經曰邪氣盛則寔然邪氣既盛矣非汗散何由而

除發表不遠熱沸辛熱何由而解但疹本屬陽所以藥忌燥悍奈世多泥此寒涼槩投如始而用之則血凝毒滯而難出終而用之則戕賊胃氣邪留經絡而爲目疾滯下諸患矣雖曰疹要清涼痘要溫清涼豈寒涼之謂乎總宜觀邪之盛衰寺之寒熱冬則宜溫夏則宜涼即芫荽性畧辛溫雖爲疹中要品於夏月亦所當忌

一疹子與痘似輕然調治失宜其禍反不旋踵蓋痘由胎毒而發形勢多少輕重吉凶自可預斷疹由感受寺

氣而發輕者可重重者可輕皆在於調治有方故藥餌飲
食禁忌比疸家尤為中節
先師治癍疹於見點之後壯氣脅沉喘促煩燥口渴不
食泄瀉吐蛔或頭面先沒額熱身烙足冷者但用峻補
真陰真陽一二劑並能奏功蓋血為火迫而成形於外
則經絡之陰其消磨可知陽氣浮越於表則少火之藏
納於丹田其衰敗可知水火既已兩虧則脾元何能運
用中氣之大傷不待言矣若不峻補真陰真陽何以為

保精氣神而資生身之用耶經曰陽彊不能密陰氣乃絶陰平陽秘精神乃治陰陽離鈌精氣乃絶誠百病求生者之至理也　先師曰古人以疹屬少陰心火癍屬陽明胃火故疹多寔熱癍有假陽爲定論然總屬臟症不外乎榮分熱極陰血沸騰不必以癍疹分但當以虛寔判寔者正治虛者從治卽病之寔者邪氣寔非真寔也病一退而正氣卽虛乃真虛也今醫徒守古人疹多寔熱之論寒凉肆進以有形有餘之藥攻無形所變之

虛不知陽毒之有餘寔由陰血之不足捨其寔在之虛
攻其無形之毒乃至不起者多矣先師深憫其厄立全
真一氣湯去人參以治麻疹之危困者屢有神效可見
雖作寔熱爲定論矣先師曰癍疹爲肺胃火毒故壯熱
煩渴喜冷浩飲此其常也若縱其飲冷則水遏熱毒在
內輕則激其虛火上升寒熱不已重則迫其熱毒下注
瀉痢無休不知者誤以煩渴喜冷爲寔熱峻用芩連苦
寒之藥殊不知火之有餘由水之不足即渴者乃臟腑

津液耗槁而為病也若不求陰陽之至理而調之徒以寺行之容病為主治則危亡立至獨不思甘温能除大熱之語耶要知千變萬化之疾病多由身中之火不安其位外邪乘閒得入即陽氣变而為火矣若安其位則復為真陽之正氣矣何寺醫之治熱病泛云熱邪日以寒凉為事豈人身上熱另有身外之火哉此即本人身之火發越而為病也惟寔太過者暫以寒凉折之中病即已斷無可去之之理也昧者縱其餐凉飲冷盡將陽

氣提出龍雷無可藏身上逆而爲胃爛口臭睛紅舌黑
榮失氣運凝滯成瘢獨現於足夫瘢疹屬火火性炎上
故見於頭面今獨現於足者陽氣已絶陰血凝泣名死
血瘢也不治是皆極陰似陽之假熱而誤用寒凉之過
也如有唇口臭爛頰穿唇缺鼻爛目傷者似乎熱毒也
亂知陽氣者所以充皮毛堅筋骨密腠理以護衛於外
者也陰血者所以榮脉絡潤臟腑滋精髓以榮養乎裏者
也面爲諸陽之會目爲至陰之精鼻爲宗氣之藪一身

之氣血運至鼻面者非至清至精不能達者也苟一旦陽氣耗散於外失其護衛之權陰血燥槁於裏失其榮養之職於是五官精英衰涸則陰翳之火乘虛而走空竅流爍為害是由本氣為病有何毒乎治者能明此理惟使太陽一照龍雷頓息真陽一斂陰翳自除真陰一生虛陽自化而榮衛各得其職矣蓋無形生出有形之假火須以有形生出無形水火之真藥以調之蓋造化之理皆生於無凡有形者皆非真也柰何一見壯熱丝點便

作有形寔相而攻之以致变現百出病欲不死安可得乎

○○**瘆中四大忌** 一忌腥葷生冷風寒出麻疹者大忌葷腥及生冷之物與冒犯風寒皆能使皮膚閉塞毒氣鬱抑而内攻也 一忌驟用寒凉初發熱者最忌驟用寒凉以冰伏其毒使毒氣抑遏不得出則成内攻之患昔人謂天寺暄熱宜用辛熱之藥發之如**黄連解毒湯**五之類不知天寺暑熱之氣豈寒凉之藥所能解令驟用寒凉恐不足以解外熱而適足以阻内熱使不得出也

一忌用辛熱初發熱時最忌多用辛熱以助其毒如桂枝麻黄姜活之類能使毒氣壅蔽而不得出亦致内攻之患昔人謂天氣大寒宜用辛熱不知天氣大寒只宜置之燠室謹避風寒可也且天氣雖寒而人身之熱毒未必減也而多用辛熱豈理也哉

一忌用補澁疹出之時多有自利不止者其毒因自利而散此屬無妨如泄痢過甚則以加味四苓散四二與之切忌用參朮訶蔻補澁之藥重則令腹脹喘滿而不可

赦輕則変而爲休息痢纏帛不已哉之

驗疹出候發熱辨疑似凡發熱之初與傷寒相似但疹出候則面浮腮赤咳嗽噴嚏鼻流清涕淚出汪汪眼胞浮腫惡心乾嘔呵欠喜睡或作吐瀉或手掐面鼻眉目皆是疹候也與遍身如塗硃之狀者乃將出之兆

一有変蒸發熱常見紅點者此腠理開而膚肉嫩血分有熱便沸騰見於肌肉也是雖似疹治法但宜調和氣血而不必疎表也

一有驚風愈寺亦見紅點者此氣血已和邪氣將散乃愈之兆　一有皮膚癢極搔之腫厚塊若雲頭者此風熱挾濕為丹為風並皆不在疹例凡發熱而即出者必疹發熱而難出者必痘此可見毒之淺深也

一如手足稍微冷一身盡熱惡寒無汗面色青慘是傷寒之熱也　一如手足稍微温發熱有汗面赤而先鼻流清涕是傷風之熱也　一如午前發熱目胞高腫面黄吐利腹疼頭額肚腹倍熱或晝熱夜凉及上熱下冷

者是傷食之熱也　一如手掌心有汗手脉絡微動面色青紅者作驚惕者此是驚熱之兆也

一如唇紅頰赤二便俱閉脇下有汗身熱而倍能食者此風熱也以上諸症從而不去則內外感發所蘊之毒亦能乘間而出疹者也

未出症治

一麻疹一症非熱不出故欲出者自先熱也表裏無邪熱必和緩毒氣鬆動則易出而易透若兼風寒食滯諸熱症其熱必壯盛毒氣鬱閉則難出而難透

治以宣毒發表湯二其間或有交雜之症亦照本方附症加減治之

見形症治

一麻疹見形貴乎透徹出後細密紅潤則為佳美有不透徹者須察所因如風寒閉塞者則有身熱無汗頭疼嘔吐惡症色淡而暗之症宜用升麻葛根湯一加蘇葉川芎牛旁毒熱壅滯者必面赤身熱譫語煩渴疹色赤紫滯暗宜三黃石羔湯六二又有正氣虛弱不能送毒出外者必面色㿠白身微熱精神倦怠疹色白而不紅以人參敗毒散八主之有病後瘦弱唇白氣虛

感寺毒而出麻疹者宜加味逍遥散七三或體虚瘦弱疹出白色少紅活者可服白朮白芍薄荷茯苓當歸牡丹陳皮柴胡麥冬甘草葛根水煎服

出没遲速症治一麻疹見形三日之後當漸次磊落不疾不徐始為無病若一二日疹即收没此為太速因調攝不謹或爲風寒所襲或爲邪穢所觸以致毒反内攻輕則煩渴狂譫重則昏眛亂懸内服荆芥解毒湯八二外用胡荽酒二三蒸薰噴其衣被蓋覆使疹出透方保無虞

當散不散者內有虛熱留滯於臟表也其症潮熱煩渴口燥舌乾切不可純用寒凉之劑以柴胡四物湯九二治之使血分和暢餘毒必除瘡即没矣

驗疹順症

一凡頭面先起次而顴兩透出乃至於足形若芥子色若桃花作二三番齊透神氣安寧飲食二便如常調和者順候也　一又頭面發透粒肥而多淡紅滋潤三日而漸没者輕色潤者佳

驗疹險症

一凡頭面兩顴難透者重

一冐風早没者重　一兩頤如紫雲成片者重

一疹中夾瘢氣逆者重　一紅紫暗燥者重

一咽喉腫痛不食者重　一移熱大腸變熱者重

一周身未見兩腳先形并兩頣腫脹色同之症　胴腊者皆甚危

驗疹逆症

一黑暗乾枯一出即没者不治

一鼻扇口張目無神者不治　一鼻青糞黑者不治

一氣喘心前吸者不治　一頭面不出者不治

一熱極喘脹胸高肩息狂言衄血　搦手摇頭尋衣摸床躁悪便秘口出冤氣者不治

一麻後牙疳有五不治　一臭爛者不治

一自外入内者不治　一無膿血者不治

一白色者爲胃爛也不治　一牙落者爲胃敗也不治

一有正氣不足不能逐邪出外則毒伏於内喘脹而死者是名閉症

用藥要旨

先師曰麻疹之症半因胎毒半因寺行全關乎氣血之厚薄以爲輕重更賴調治之宜否以爲損益且太古淡泊而禀厚今人膏粱而禀薄倘治者悉遵古法盡作有餘之治以疹要清凉痘要温爲定論必致陽虛不能升托者或面不起陰虛不能透陽者餘熱不退

陰氣未全之弱質何堪久熱之傷陰以致沉昏不食喘促煩燥中氣日虛如以疎表托透風藥則愈耗其陰如以清肺觧毒清凉則徒傷其胃泄瀉一來上熱下寒喘促益甚復謂疹毒歸肺肆進苦寒危亡立至殊不知氣血不和偏陰偏陽之謂毒能使氣血和陰陽平而毒化矣先師乃製

全真一氣湯 去人參 治麻疹頭面不起壯熱不食喘促昏沉上熱下寒效如影響

熟地 八ツ為君養陰以化陽 白朮 三ツ為臣得以托住中氣得以括痰 附子 六分為使令其直達下焦

麥門 二ツ為佐以清肺生水更可制肝老米炒 牛膝 一ツ四分為引以抑浮陽之上升 五味 三分為引以歛竭陽之下歸

方中之用附子者引熟地以滋陰降火引麥味以納氣藏源真陰一得燋爍自除氣血一和陰陽自適透者透而回者回當促之為狀立成尾解

或以附子大熱白朮大燥五味大歛為疑殊不知附子無乾姜則不熱同熟地陰藥便能滋陰降火最速也白朮而有熟地則不燥熟地麥冬數藥而白朮在內者則力小而軟且中氣餒弱何能運藥成功附子通經達絡斬關奪旗既有白朮駕驅復借五味歛藏則直固丹田

其陰翳之毒何足慮也附子之力雖大然疎泄太過則

瀰散而不收惟其一加收斂則疎泄通經之力愈大猶

之嚴冬閉藏而後陽春之發生蕃茂更如火炮外皮堅

固而藥之内發有力方能聲振遠遐以此攻毒何毒不

摧以此通經何經不達以此降火何火不藏以此滋陰

何陰不長誠神功也又如向患陰虚久嗽寸強尺弱麻

疹隱伏但宜服地黄湯而不宜於疎表風藥者

先師用六味地黄湯　熟地八戔 山茱四戔 山藥四戔 牡丹三戔

茯苓一錢三分澤瀉一錢三分加肉桂一錢五味八分用一二劑而疹透嗽減神清思食熱退而痊此即前方內有附子之大力而不慮五味之小技其義同也故治者當按脉用藥以救陰救陽爲主則何有夭枉之虞誠爲治疹法外之遺故不必以疹多寔熱癥有假陽爲定論更不必以癥疹分只當以虛寔判疹之虛者即以治癥之法治疹癥之寔者即以治疹之法治癥

用方大畧以下皆方書常法

一疹初出宜用升麻葛根湯雖寒

勿用桂枝雖虛勿用參朮雖嘔而有痰勿用星半并忌誤作傷寒汗下汗則增其熱而爲鼻衄咳血口瘡咽痛煩燥目赤二便不通下則虛其裏或爲滑泄或爲滯下此治法之大畧也

一初發熱奇欲出未出者宜用宣毒發表湯二

一曰疹憂清凉此其大畧也若初出而過凉則亦難形發須察寒暄而用之如寺大寒者則以桂枝葛根湯六發之如寺大熱者則以升麻葛根湯一合人參白虎湯四

發之如寺不熱不寒者則以荊防敗毒散七發之如兼
瘦癘之氣則以人參敗毒散八發之須致温凉得所陰陽
自和而疹自然盡出盡出即解矣雖然更有赤白之别
存焉如疹子色赤必用清凉而後可解疹子色白必用
温煖而後可清此又非寺令之可據也
一凡疹多於耳後項上腰脚先見其頂尖而不長其形
小而匀淨色紅者兼火化也宜用牛蒡連翹升麻骨皮
知母之類　一若色白者血不足也當歸赤芍紅花之類宜用

一若色紫乾燥暗晦者火盛毒熾也宜發表解毒而兼凉血滋陰則熱自除所謂養陰退陽也

一若色黑者則熱毒熾盛不治惟下之以圖萬一

一若色淡白者是心血不足也宜養血化癍湯十九主之

一若色太紅艷或微紫者是血熱也或出太甚並宜大青湯十主之

一若色黑是死症也如忽得鼻衄者邪從衄解反爲佳兆

一發熱六七日却不出者此皮膚堅厚腠理閉密又爲風寒襲之或曾有吐利以致氣弱乃伏也治宜急用托

裏發表之劑外用**芫荽酒**三二熁噴之

一逾旬不出乃風寒外束皮膚閉密宜**荊防敗毒散**七主之

一日从不大便是毒甚於裏而內伏不出也用**涼膈散**

九加牛蒡以發之解之如再不出腹中脹痛氣上喘促昏悶譫妄者死

一疹出之際切忌風寒生冷否則腠膚閉塞毒氣壅滯

遂爲渾身青紫或復隱沒煩燥腹痛氣喘悶亂危亡頃

至矣若邪出反沒未見惡症者重加表發或有得生

一有因風寒外束皮膚閉密而逡巡不出者或煩悶或

吐利宜荆防敗毒散七 主之疹盡出則諸症自愈

一治疹之法要令頭面腮頤透出爲主若冬天寒甚而出不透者不可誤用寒凉宜以荆防蟬蛻羗活芫荽葱白之類再加蜜酒炒麻黄一劑即止不可過用

一已出而紅腫太甚宜用化毒清表湯十四 主之

一出三四日不收者乃陽毒太盛宜大青湯十 主之或荆芥牛旁玄參甘草石羔桔梗解之

夫疹與痘異痘出五臟而疹出於六腑腑屬陽陽主氣

故疹有形而無漿其症多寔熱而無寒為症既異治法亦殊疹有寔熱之症令兒戰慄似寒蓋火象也熱極生陰反作寒耳初熱寺只宜發表又宜補陰制陽可也蓋疹熱甚則陰分受其煎熬而血多虛耗故治以清火滋陰為主不可少動其氣若燥悍之劑首尾當忌世惟知見痘所係之重而不知疹之所係匪輕余平日治疹初見發熱多似傷寒然見咳嗽噴嚏鼻流清涕眼角生瞙眼胞兩臉浮腫其淚汪汪惡心乾嘔恒欲飲水則寔與

傷寒過異宜謹風寒避腥穢此其大節一日三次出為異二日再出六次為吉使發出不快急用藥表發之使皮膚通暢腠理開豁自無留毒看疹之法多於耳後項上腰腿先見頂尖而不長隨出隨沒其形小而匀淨者吉若色見紅者兼火化其症可治宜化癍湯蟬蛻蜜蒙歸尾木通川芎竹葉柴胡竜胆草山梔白豆蔻或人参白虎湯知母石羔人参甘草桔梗竹葉亦可如以手捘之則白而手起即紅者此血不足也宜養榮湯十三主之如紫赤乾燥灰暗火盛毒熾大渴飲水不止宜六

一散石羔六甘草一觧之或黃連湯一三亦可大熱不退加柴胡黃芩升麻葛根牛旁玄參熱甚譫語昏昧不省人事宜用黃連解毒湯五若發渴勿禁飲水但不宜多雖出自寒天亦不可重加衣服恐熱毒入咽喉令兒聲啞而疹不得出爲害不淺或有吐瀉宜用四苓湯猪苓澤瀉茯苓木通加牛旁訶子或疹出而身尤大熱宜升麻白虎湯二三倍加牛旁玄參至九日收畢聲啞而無音用涼水調兒茶封入硼砂服之即愈疹後有痢者皆因積臟所傷必先去其

毒齒後補須用大黄黄連枳殼檳榔以利之勿食甘滋
以免牙疳如有疳症紅棗去核入米粒雄黄燒過爲末
米泔嗽口少入鹽湯可愈隱疹不得出用升麻湯三三加
麻黄即出數日不食多飲水須以清胃養脾解毒爲主
解毒自然飲食如常疹毒將盡不可當風以防目疾体
瘦臘黄勿食椒麵熱物以致胃火因觸口舌生瘡令兒
啼哭如有此瘡尿盆白垢燒過少許擦之可愈治疹不
須奇惟凉解爲第一義疹出三七以及百日皆不可忽

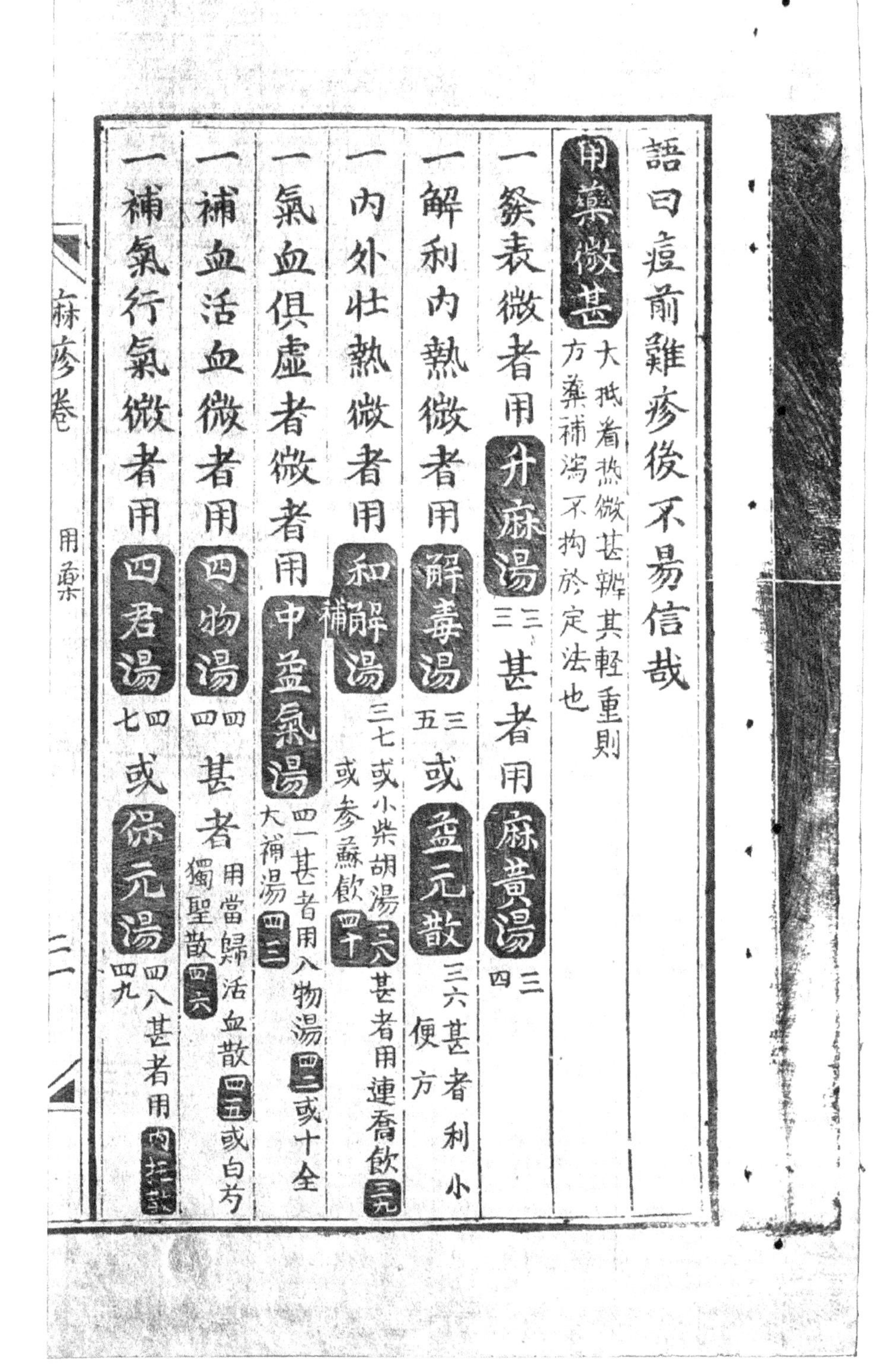

語曰痘前雖疹後不易信哉

用藥微甚　大抵看热微甚辨其輕重則方藥補瀉不拘於定法也

一發表微者用升麻湯三三甚者用麻黃湯三四

一解利內熱微者用解毒湯三五或益元散三六甚者利小便方

一內外壯熱微者用和解湯三七或小柴胡湯三八或參蘇飲四十甚者用連喬飲三九

一氣血俱虛者微者用補中益氣湯四一甚者用八物湯四二或十全大補湯四三

一補血活血微者用四物湯四四甚者用當歸活血散四五或白芍獨聖散四六

一補氣行氣微者用四君湯四七或保元湯四八甚者用內托散四九

一虛寒之症微者用理中湯五十或参苓白朮散五一甚者用木香異功散五二
一小便赤澁微者用四苓散五三甚者用八正散五四
一大便閉微者用蜜導法五五四順飲五六宣風散五七甚者
大柴胡湯五八兼外熱者用承氣湯五九或涼膈散九
向上諸方凡一症有二三方用者當審其微甚輕重酌用之庶可無誤矣
痧中雜症一咳嗽面浮心煩口乾。發熱之初其黙未見
而咳嗽咽痧上氣喘急面目浮腫寺卧寺起心煩口乾
者此毒火内蒸而肺葉焦舉也宜甘桔湯三合人参白

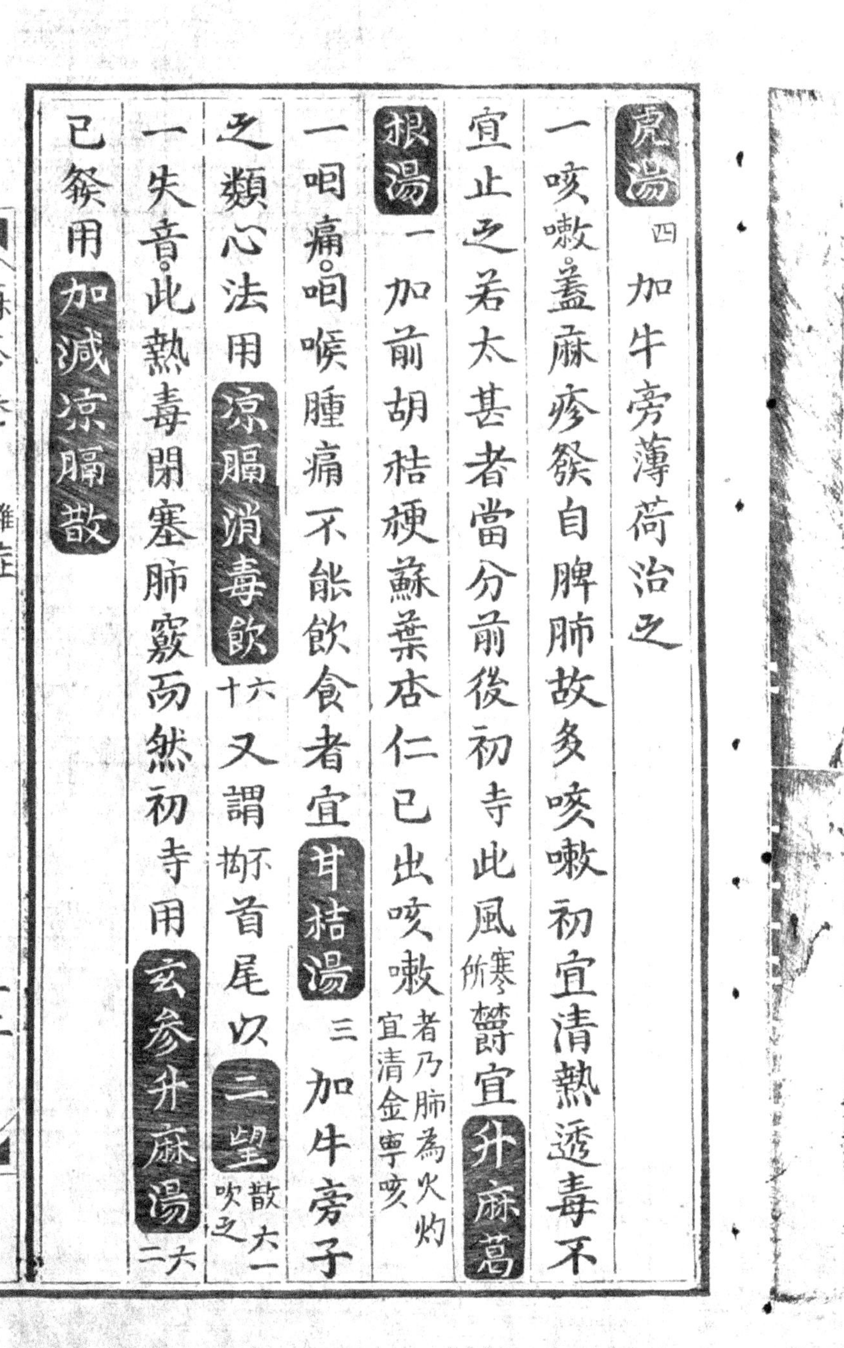

虎湯 四 加牛旁薄荷治之

一咳嗽蓋麻疹發自脾肺故多咳嗽初宜清熱透毒不宜止之若太甚者當分前後初寺此風寒所鬱宜升麻葛根湯 一 加前胡桔梗蘇葉杏仁已出咳嗽者乃肺為火灼宜清金寧咳

一咽痛咽喉腫痛不能飲食者宜甘桔湯 三 加牛旁子之類心法用涼膈消毒飲 十六 又謂掛首尾以三望散 大一 吹之

一失音此熱毒閉塞肺竅而然初寺用玄參升麻湯 六二 已發用加減涼膈散

一渴症。渴欲飲水者是邪火入内内火炎上是以肺焦而胃乾也初熱而渴宜用升麻葛根湯一加天花麥冬以表暴其邪疹出而熱毒自解若已出而渴者宜用天花麥冬合黄連解毒湯五主之

一渴所宜飲者。菉豆燈心炒米湯以生津解热而已不可肆飲涼水重則壅遏毒氣内攻以致不救輕則变成畜水傳入五臟變現諸症　一譫妄。此毒氣太盛熱昏心神而然未出用三黄石羔湯六二已出用黄連解毒湯五

一喘急。喘爲惡候麻疹尤切忌初出未透出無汗喘急此表拂鬱其毒宜麻杏石甘湯六四發之已出胸膈喘喜此毒氣內攻肺金受尅宜清氣化毒飲六五清之若延遲失治以致肺葉焦舉則難救矣

一汗症。發熱之時遍身汗出此毒從汗散玄府開而疹易出也勿可止之此得發散之義也若汗甚而不止者此毒甚逼液妄流宜以芩連生地浮小麥之類止之或人參白虎湯四或黃連解毒湯五主之延則汗多元氣虛而喝已矣

一衄血發熱寺鼻中出血者此毒從衄解亦拙中之巧不宜止之倘血出太甚此又逼血妄行宜以茅花歸頭生地甘草丹皮玄參梔子連翹之類止之不然則血去陰亡而精神變成壞症矣心法云衄甚者外用髮灰散六六吹入口中內用犀角地黃湯六七其血可止

一腹痛食滯凝結毒氣不得宜發於外故不寺曲腰啼呌兩眉頻促宜加味平胃散六八治之滯消毒解而痛自除自利者宜黃芩湯六九兼吐者加半夏二刀生姜三片煎服

裏急後重者宜黃連解毒湯五合益元散六三

一嘔吐此火邪内廹胃氣逆冲宜竹茹石羔湯十七和中清熱其嘔自止

一吐利。初發熱時此火邪内廹上焦則吐廹于下焦則利廹于中焦則吐利兼作治宜發表解毒清凉不可收澁也

一瀉症。疹出之時自利不止或瀉稀水頻數者最爲肉候但看其疹若遍身稠密紅紫者不妨盖非瀉則鬱遏不解惟宜清利疹一發透自然瀉止若疹已收而瀉仍

不止者疹未必盡宜用清托并分利之切不可用訶子荳蔻滯澁之藥致變腹脹喘急不治之症夫疹多泄瀉慎勿止之惟用黃連葛根升麻甘草則瀉自止疹家不忌瀉瀉則陽明之邪熱得解是亦表裏分消之義也心法云瀉乃熱毒移入膓胃傳化失常切不可用温熱諸劑初起宜升麻葛根湯一加茯苓猪苓澤瀉已出者宜黃連解毒湯五加赤苓木通景岳云其有脾氣本弱而過用寒藥或食生冷致傷脾胃而爲泄瀉雖由疹而寔

疿疹毒但察其無熱症熱脉而兼色白氣餒須救脾氣宜溫胃飲一七或五君煎二七胃關煎三七

一痢症若初熱而裏急後重者而爲滯下則少加大黃以微利之是爲純陽之症不可以作寒論宜從疹法求之心法云麻疹作痢謂之夾疹痢因熱毒不解移於膀胱有腹痛歆瓣不瓣或赤白相兼悉用清熱導滯湯三十不可輕投澁劑

一熱不退瘡疹疿熱不發旣出而身涼此其正候也若旣出而熱不解此毒壅也宜大青湯

十以解其表便澁者用黄連解毒湯五以解其裏若有煩悶不寧同此意而変通之大要疹出須使其毒盡解不盡則毒畜於中壯熱日久必枯萎成痹而死疹已没而身熱咳嗽氣粗此餘熱留於臟表宜柴胡清熱飲七四治之

疹後雜症一熱不退疹後久熱不退變成痹瘵宜與六味地黄湯十二以補腎水或謂兒童年幼如何敗腎殊不知兒之陰氣未全倘稟氣復薄謂之真虛况疹初發血分大傷餘毒久熱殘陰血竭若不大為壯水焉能以制陽光乎

一咳嗽。疹後咳嗽者宜用貝母桔梗甘草薄荷天花粉玄參麥冬以清餘熱消痰壅則自愈愼勿用收歛之劑

一喘症。疹後喘者邪熱壅於肺也愼勿用定喘之藥惟宜以大劑竹葉石羔湯一十加西河栁玄參薄荷各二ク若熱勢盛者即用白虎湯二十加西河栁忌用升麻犯之必喘而死又疹後微微咳喘者此餘毒未盡用清肺飲六十加消毒飲七十主之若咳甚氣喘連聲不住名曰頓嗆咳甚則飲食湯水俱出或咳嗽出血者此熱毒乘肺也

宜多服麥冬清肺飲八十加連喬主之若見胸高如奎㨔肩而喘口鼻出血擷首搖頭面色或白或青或紅而枯暗者不治然亦有肺氣虛而發喘連聲不已無咳嗽出血瘡食之症者宜清肺飲六十倍加人參不可拘於肺熱之一端而純用清肺解熱之藥景岳云氣喘一症十有九虛察其本非火症又非火邪或以大瀉大汗而致必皆氣脫宜六氣煎一八或貞元飲二八

一泄瀉膿血。疹後泄瀉及便膿血皆由熱邪內陷也大

忌止澁惟宜升散仍用升麻甘草葛根黄連白芷扁豆便膿則血加活石末利必自愈也若果上熱下寒上寔下虚當以從治之法治之不可以寒凉正治

一痢症疹後毒氣流注而成痢者宜用**清熱導滯湯**三十

一疹後生瘡疹後生瘡此由榮分餘熱未盡也宜金銀花荊芥穗連翹玄參甘草胡麻鼈虱黄連木通煎飲解其邪熱其瘡自愈

一牙疳症疹後牙疳最危外用黄牛糞尖頭燒存性研末加真片腦即真竜腦熔成片一分研勻

吹之內服連翹葛根升麻玄參黃連甘草生地水煎加犀角汁二三匕調服緩則不可救若脾氣虛寒不能接納下焦陰火宜理中湯十五之類而火自退總宜憑脈用藥勿以麻疹熱毒爲定論蓋諸病有初同末異之迥殊也

一中惡症疹收後舉措飲食已復如常忽然遍身汗出如水或只心腹絞痛而死此是元氣尚虧外雖無病裏寔空虛一感疫癘不正之氣正不勝邪一中而死謂之中惡也宜急用人參湯研蘇合香丸一二服之而雖亦猶大人暴中之須

一聲啞日久不愈疹後聲啞日久不愈者蓋由肺火薰蒸于胃胃火上薰于厭穴耳書云金清則鳴金實則啞會厭穴生于咽喉則肺金已先受火制耳寺且不暇清肺制火先用兒茶散四八急以涼水調服數次可退而聲即出再服清金降火湯（歸芍生地陳皮貝母瓜蔞茯苓黄芩甘草山梔玄參天門麥門石羔桑皮杏仁蘇梗黄連生姜水煎服）自愈凡疹前疹後咳嗽者皆係疹毒不可輕視若久咳結成瘵後風或令咽喉出血宜服麥冬清肺飲（知母貝母天冬桔梗甘草石羔陳皮杏仁馬兜鈴糯米煎服）不然疹咳傷及肺

胃腑前高突腹脹喘滿唇面手色俄白俄青枯暗臭口出血不治之症也余於此症驗有數兒俱兒茶散之力同志者玩之

一休息痢此疹後未得十日父母溺愛恣其欲而與之飲食一切不忌令兒作痢日久不已遂成休息痢此餘毒在大腸也切不可妄攻澁藥一澁而止則內毒上攻令兒嘔吐不食為噤口不語二三日毒攻大腸更滑瀉不止或下鮮血或如塵水如豆汁之狀皆危症也宜早服三黃湯八五加梹榔枳殻煎同天水散八六調服之可生

蓋先清利而後補治痢之良法也

一餘毒未盡復發熱再出疹既收之後數日猶有餘毒未盡再復發熱日夜不退重出一番比前畧少且餘毒熱甚每夜煩燥譫語失血且多驚搐夜屬陰陰者血也想疹前大熱心火耗散故小兒氣血屬寔者易治虛者難治凡遇此症先治其血急用犀角地黃湯六七或解毒湯三五一劑再用四物湯四四加遠志三分甘草二分服一劑而止若狂譫驚搐再煎五苓散八七調神砂益元散八八一匀服之諸症

自無也大抵疹前易疹後難切忌飲食庶免後患

一渴症疹與傷寒同一熱病也二者未有不作渴之理傷寒發渴得生而疹發渴亦可飲水凡疹渴者卽以烏梅一月熬入凉水徐徐服之或用**人参白虎湯**四其渴自止若飲水過多恐生水畜之病蓋熱極而渴者心也水旣入心傳於脾而爲嘔吐瀉痢傳于肺而爲咳嗽傳于腎而爲小水不利爲陰囊浮腫傳于肝而爲腸痛筋軟膨脹肺傷用**清肺飲**十六加五味少許脾傷用**五苓散**八七滲

之肝與腎用五苓散八七加木通車前以滲膀胱之水則肝腎之病自除矣懶按書云寔火可瀉虛火可補瀉者正治也補者從治也蓋以寒治熱人固易知以熱治熱人多疑懼夫寔火者陽火有形之火虛火者陰火無形之火蓋火之藏納不外乎水土之中脾虛不能閉藏中宮元陽當用補中理中歸脾之類腎虛不能接納下焦陰火悉用六味八味之類若只知於脾而不事於腎其於醫理尚欠太半矣若症見下焦陰火而用藥於脾則南轅北轍矣

附瘢疹

一沙疹者此肺胃之火熱爲病也小兒居多大人亦寺有之殆寺氣瘟疫之類也治法當以清凉發散爲主藥用甘寒辛寒苦寒以升發之惟忌酸收最宜辛散辛寒如荊芥西河柳即水楊柳葛根石羔鼠粘子麻黄玄參竹葉天花粉青黛薄荷之類甘寒如麥門生草糠紫之類苦寒如黄連黄芩貝母連喬之類隨症輕重中病即已毋太過焉

一騷疹者此兒在腹中受血熱之氣所蒸已火及生後外遇凉風以致遍身紅點如粟米之狀滿月内見者名

爲爛胲瘡百日内見者名曰百日瘡未出痘先見者名
驪疹調攝謹慎不治自愈又云凡小兒痘未出之先寺
行疫病乳母爲疫氣所染兒食病乳亦感熱病或遍身
發出紅點或謂疹子或謂瘢子皆非也是乳中熱毒入
兒臟腑之間然毒氣不出自臟腑何畏之有是乳母病子
亦病也治者先治其母之病兒自愈矣遠避乳母擇他人乳之可保無虞
一蓋痘疹者此症痘將收畢數日後身稍熱二三日遍身
卽出紅瘢作癢愈肥愈盛先出大小不一如粟米之狀

漸漸長大如雲成片此固痘收痂之後餘毒未盡恣意

飲食過傷外兼風熱而成也又云雲頭瘮又云蓋痘瘮

勿以爲真瘮而畏之也如果有積食之症宜服三化湯

七五 加黄連防風消食積而除風熱以免瀉痢之虞或加

味消毒飲 七六 以疎風清熱而瘮即愈矣

一隱瘮者此心火熇灼肺金又兼外受風濕而成發必

多癢色則紅赤隱隱於皮膚之中故多癮瘮先用加減

羗活散 七七 疎風散濕繼以加味消毒飲 七六 清熱解毒表

裏清而自愈矣　一孕疹者孕婦出疹當以四物湯加條
芩艾葉砂仁以安胎清熱爲主則胎不動而疹自愈矣
先師曰此古法也徒知清熱以安胎不思疹未出而卽
以清熱爲事則疹難出而内熱愈深是欲保胎反以傷
胎惟宜輕揚托表則疹出而熱自清繼以滋陰清解則
於疹於胎兩得無碍不安胎而胎自安且艾葉砂仁性
温而香肺氣大傷之後復當香燥之藥喉嗽喘促皆能
動胎水涸金枯何能長養徒存安胎之名確有損胎之

寔切不可遷古之成法也昔有一婦人有娠三五月忽
然發熱出痘一日三次有形有色真疹症也先要保胎
爲至用四物加芩朮服之如出不快者可服白虎湯加
升麻倍用玄參牛旁爲竒談若熱甚胎氣不安服保胎
藥數劑見腹痛腰疼即知胎有必墮之機則以產後法
論先用大劑次用他症藥兒胎雖動疹婦可生若痘婦
胎落萬無生理何也盖疹宜裏空胎下則熱隨胎而下
痘宜裏寔胎一下而氣血俱傷虛而又虛何可得生

一瘢疹者。此症多得於天行疫病壯熱便燥此是熱毒留胃中為裏症也故能發瘢不可與疹同治要用發散蓋疹者有窠有形瘢者隱隱於皮膚無跡而且平此平辨之法也治者切不可發表要下及服五辛之品與夫糯米助胃火若身熱作渴宜人參白虎湯二十去人參加玄參生地一劑而愈若便結者以三黃丸三二利之赤者生黑者死然更有陰寒內伏而逼無根失守之火浮於膚表而為瘢點者胃氣極虛之症誤服寒藥立見危机不可不知一脈疹者。此症兒初生及滿月寺周身發出紅點如粟米之狀其形似疹富貴之家初得一兒保護之心慇懃一見此症請醫治之誤以爲疹或令乳母服藥或令兒服金石丹砂不知兒腸胃未全清如露氷珠安敢用藥乳母産後安可服發表清凉之劑若聽俗醫是陷兒于不救之地須知此症乃兒在胞胎之内乳母胎熱兒爲陰血之氣薰蒸已久生下一遇陽風一廹遂發此瘡此盖爛脈疹也故以脈疹名不須治而自愈一影疹者此症熱發二三日紅標隱于膸膚之内如物影之搖寺有寺無發表熱毒正出之際倘遇大風大寒生冷之物犯之故皮膚閉塞氣滯遂片片皆紅紅或白白或紅紅變紫而毒攻于内令兒喘滿腹痛諸症作矣欲出不出危亡立至急用升麻化瘢湯七八或活血散七九其疹不日卽出如小便不通熱甚者用四苓散八十加山梔木通大熱不退而作渴者用人參白虎湯四主之

列方　該八十八方

升麻葛根湯一　升麻　葛根　白芍

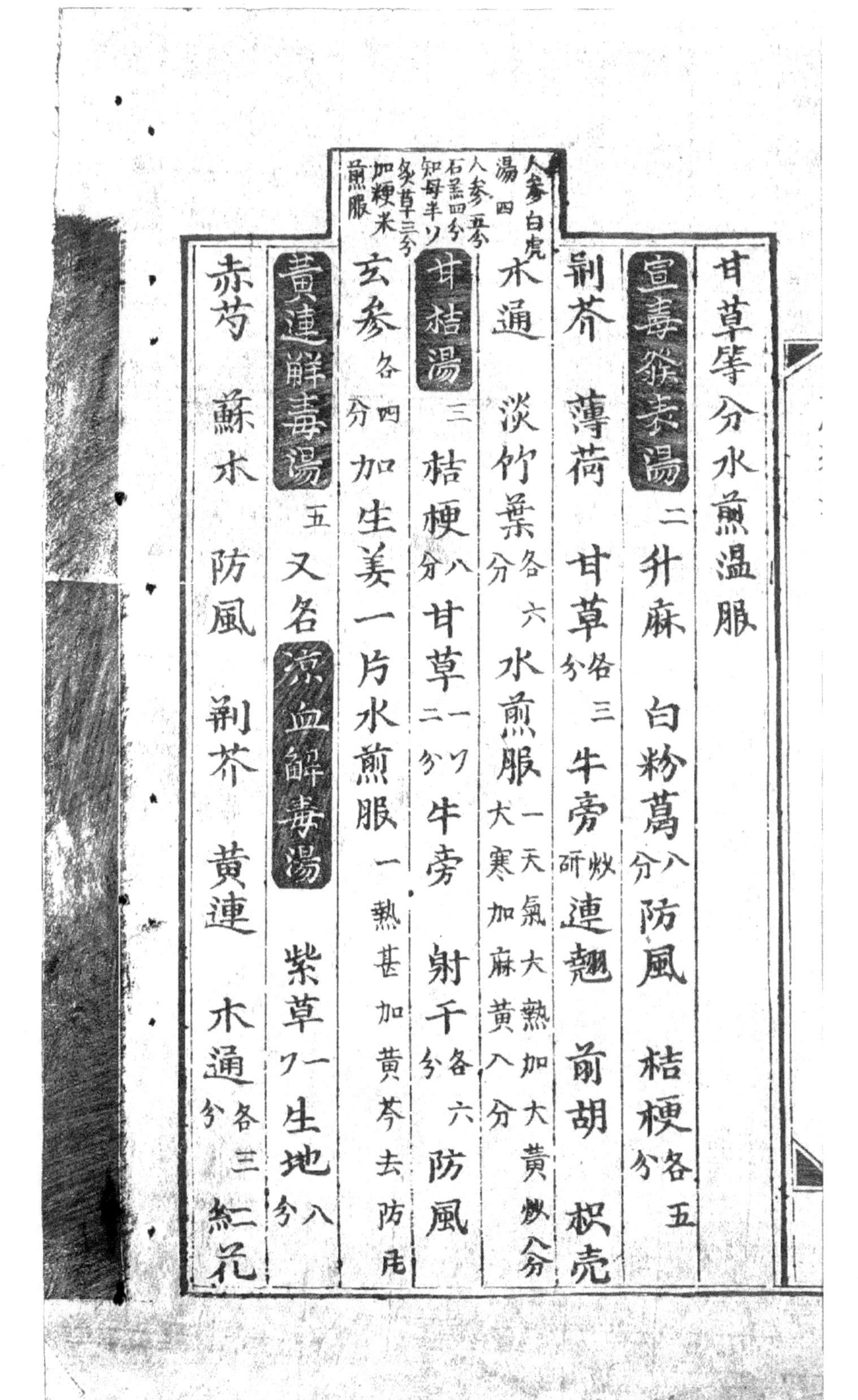

甘草等分水煎温服

宣毒發表湯 二 升麻 白粉葛八分 防風 桔梗各五分

荊芥 薄荷 甘草各三分 牛旁炒研 連翹 前胡 枳殼

木通 淡竹葉各六分 水煎服 一天氣大熱加大黄炒八分 大寒加麻黄八分

人參白虎湯 四 人參一夕五分 石羔四分 知母半夕 炙草三分 加粳米煎服

甘桔湯 三 桔梗八分 甘草一夕二分 牛旁 射干各六分 防風

玄參各四分 加生姜一片水煎服 一熱甚加黄芩去防風

黃連觧毒湯 五 又名凉血觧毒湯 紫草一夕 生地八分

赤芍 蘇木 防風 荊芥 黃連 木通各三分 紅花

天麻　甘草　牛旁各四分　柴胡八分　丹皮七分　加灯心糯米水煎温服

桂枝葛根湯六　葛根四钱　生姜三钱　桂枝　芍藥　甘草炙各二钱　大棗二枚　水煎温服

荊防敗毒散七　即**人参敗毒散**去人参加荊芥連喬防風金銀煎服

人参敗毒散八　人参　赤苓　羗活　獨活　前胡　薄荷　柴胡　枳壳　川芎　桔梗各等分　甘草　牛旁減半　加葱頭水煎服

凉膈散九　此為解裏熱之良方　黄芩　連翹各為君

甘草　梔子　薄荷　桔梗　竹葉　水煎服

大清湯　十　玄參　大青　桔梗　人中黃　知母

石羔　梔子　木通右水煎服燒人屎入之如便秘者加大黃

竹葉石羔湯　十一　一云六味石羔湯　石羔煅為君　淡竹葉

桔梗　薄荷葉　木通　甘草　水煎服

白虎湯　十二　石羔ㄅ煅四　知母ㄅ半　甘草三分　加粳米水煎服

清熱導滯湯　十三　黃連　黃芩　白芍　枳殼　山查各一ㄅ

厚樸姜炒　青皮　檳榔各六分　當歸　甘草　牛旁　連翹

各五分水煎服如紅皮者加紅花三分地榆五分秘濇者加大黃一錢二分

化毒清表湯十四 牛蒡炒研 連翹 天花粉 地骨皮

黃連 黃芩 山梔 知母 乾葛 玄參各八分 桔梗

前胡 木通各六分 甘草 薄荷 防風各三分 水煎服如

口渴加麥冬一錢 石羔三錢 大便澁加大黃酒炒一錢二分

理中湯十五 人參 白朮 炮姜 炙草各等分 加姜棗煎服

清肺飲十六 麥冬二錢 桔梗二錢 知母一錢 芥穗一錢 天花粉一錢

石菖蒲八分 訶子八分 水煎服

消毒飲 七十 牛旁四タ 甘草一ク 防風五分 芥穗二ク 水煎溫服加
生犀角黃芩尤妙 一方有升麻一ク

麥冬清肺飲 八十 治疹後咳嗽或出血或渴湯水
知母 貝母 天門 桔梗 甘草 麥門 杏仁去皮尖
牛旁 石羔 馬撓鈴 地骨皮 用糯米水煎服

養血化瘀湯 九十 當歸 人參 生地 紅花 蟬蛻
各等分 水一盞生姜一片煎六分寺寺溫服

六味地黃湯 二十 熟地八ク 山藥四ク 山茱四ク 茯苓三リ 丹皮三リ

澤瀉ㄱ三　水煎温服

蘇合香丸一二　沉香　青木香　烏犀角　香附　丁香

硃砂　白朮　訶子　白檀香　蓽撥　麝香　龍腦

安息香　蘇合香　薰陸香　爲末蜜丸以蠟包外

三黃丸二二　黃連　黃芩　大黃　爲末蜜丸梧子大每服四五十丸白湯下或淡塩湯下

芫荽酒二三　胡荽一把以好酒煎一二沸含之噴兒遍身并床帳及房門

加味四苓散二四　朱猪苓　木通　澤瀉　赤苓各七分

連ㄱ子畧炒　黃連　黃芩　牛旁炒各五分　加燈心一把　水煎服

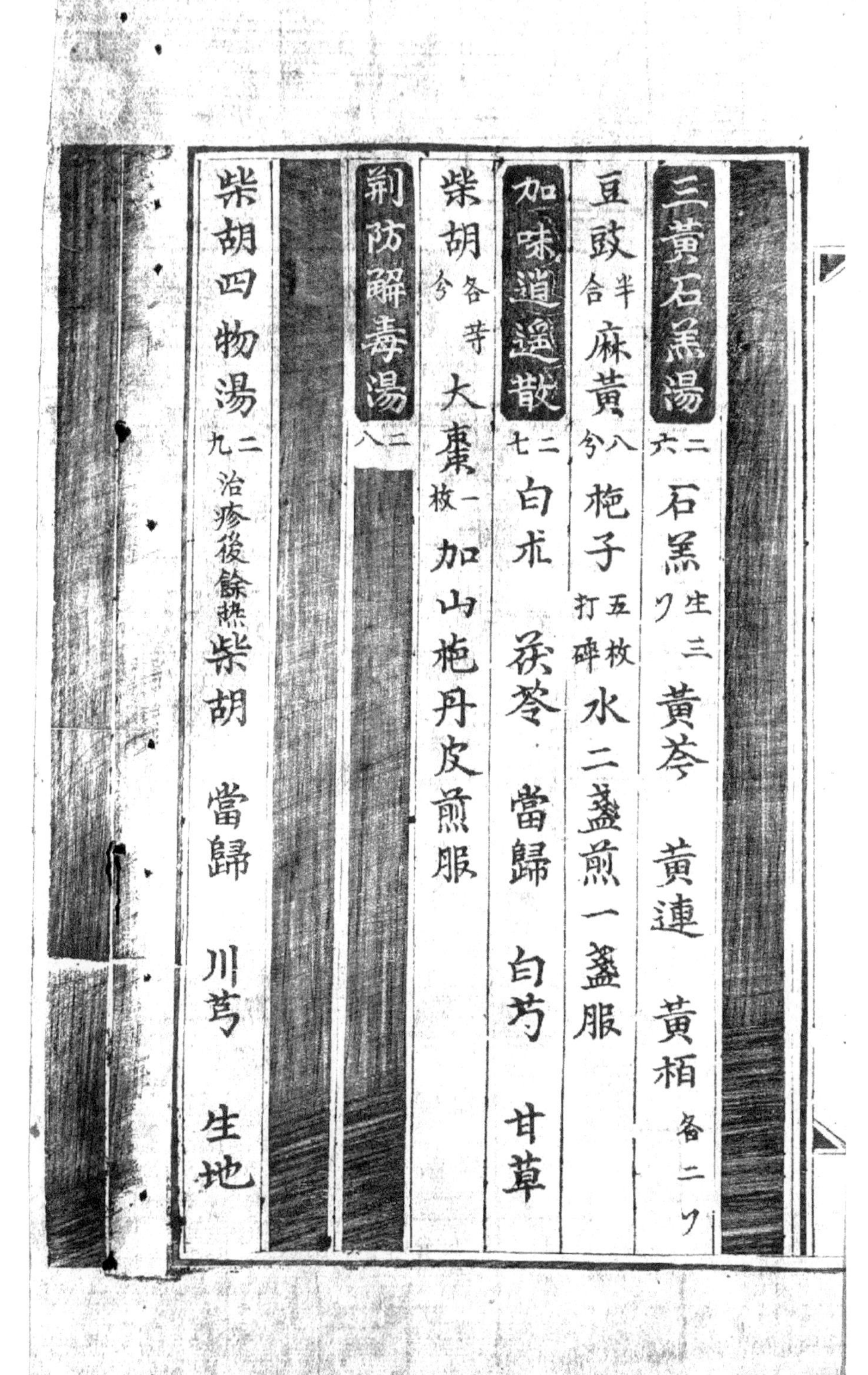

三黃石羔湯二六 石羔生三ㄅ 黃芩 黃連 黃栢各二ㄅ 豆豉半合 麻黃八分 梔子五枚打碎 水二盞煎一盞服

加味逍遥散二七 白朮 茯苓 當歸 白芍 甘草 柴胡各等分 大棗一枚 加山梔丹皮煎服

荆防解毒湯二八

柴胡四物湯二九 治疹後餘熱 柴胡 當歸 川芎 生地

白芍　人参　麥門　知母　淡竹　黃芩　地骨　水煎服

養榮湯 三十　人参　當歸　紅花　赤芍　甘草　煎服

黃連湯 三一　黃連　甘草　乾姜　桂枝　人參　半夏　大枣　煎服

升麻白虎湯 三二

升麻湯 三三　升麻　葛根　羌活　人参　柴胡　前胡

甘草　桔梗　防風　荊芥　牛旁　赤芍　連喬　淡竹葉煎服

麻黃湯 三四　麻黃　桂枝　杏仁　甘草　生姜三片水煎熱服

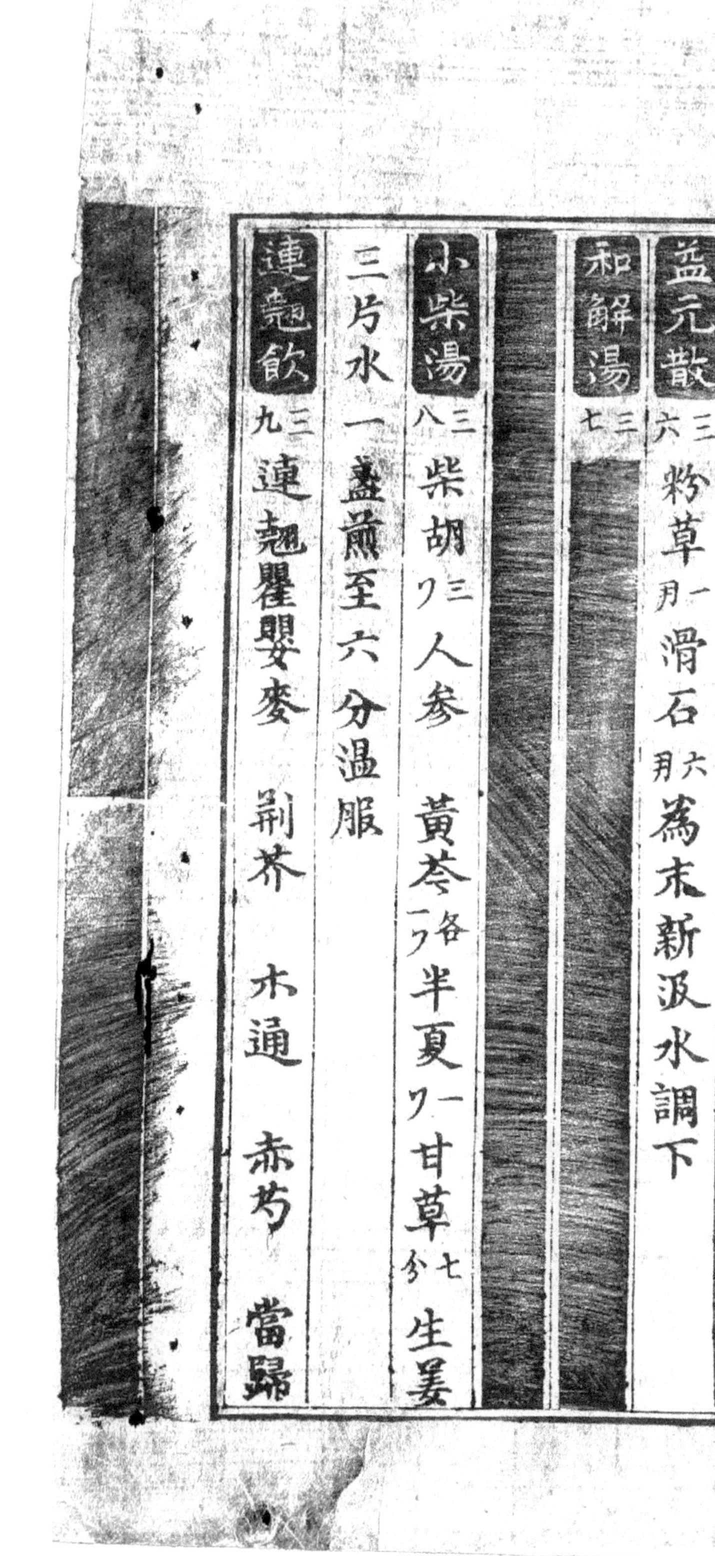

解毒湯 三五 金银 甘草 粘子 防風 荊芥 連翹

木通 各三ㄋ 水煎服

益元散 三六 粉草 一月 滑石 六月 為末新汲水調下

和解湯 三七

小柴湯 三八 柴胡 三ㄋ 人参 黃芩 各二ㄋ 半夏 一ㄋ 甘草 七分 生姜

三片水一盞煎至六分溫服

連翹飲 三九 連翹瞿麥 荊芥 木通 赤芍 當歸

防風　柴胡　活石　蟬蛻　甘草　山梔　黃芩

各等分　右爲末每服二錢加紫草水煎服之

參蘇飲（四十）前胡　人参　蘇葉　乾葛　半夏　茯苓

各三分　枳殼　陳皮　炙草　桔梗　各一分　水煎服

補中益氣湯（四一）人参　條芪　歸身　白朮　升麻

柴胡　陳皮　甘草　姜棗煎服

八物湯（四二）人参　茯苓　炙草　白朮　熟地　白芍

當歸　川芎　炮姜三片水煎服

十全大補湯 四三 人参 茯苓 炙艸 白朮 熟地 白芍 當歸 川芎 條芪 肉桂 姜棗水煎服

四物湯 四四 熟地 當歸 白芍 川芎 水煎温服

當歸活血散 四五 當歸 川芎 赤芍 生地 紅花紫草 水煎服

白芍獨聖散 四六

四君湯 四七 人参 白朮 茯苓 炙草 姜棗煎服

保元湯 四八 黄芪一ヶ半 人参ヶ一 甘草分五 水煎服

內托散 四九　一名參芪內托散治表虛裏實息重氣粗為裏實氣血皆弱痘頂㕣陷痘色淡白並可服之

黃芪　人參　當歸各二ㄅ　川芎　桔梗　厚樸　白芷

甘草各一ㄅ　木香　肉桂各三分　防風リ一　水煎服

理中湯 五十　已見在上第十五　人參三ㄅ二　炙草リ一　條芪三ㄅ二　肉桂五七分

參苓白朮散 五一　人參　白朮　茯苓　炙草　扁豆

蓮肉　苡仁　砂仁　山藥　川椒　為末白湯下

木香異功散 五二　當歸　木香　茯苓各三ㄅ半　肉桂ㄅ二　人參

肉蔻ㄅ一　陳皮　丁香　半夏各二ㄅ　白朮　厚樸　附子各一ㄅ半

去附子亦可若裹急後重不可先附量兒大小用之
右為末每服二ㄅ美棗煎湯送下

四苓散 五三 猪苓 茯苓 白朮 澤瀉 右為末每服二ㄅ白湯送下

八正散 五四 大黃 車前 瞿麥 扁蓄 山梔 木通
甘草 滑石各一ㄅ 右為末每服二ㄅ水煎服

蜜導法 五五 用白蜜半盞於銅杓内微火熬令滴水不散
入皂角二ㄅ攪勻捻成小棗長寸許兩頭既蘸香油推入
穀道中大便出即急去如未通易一條外以布掩肛門
須忍任蜜待糞至須放開布

四順飲 五六　大黃　當歸　赤芍　甘草 各等分煎服 一有熱渴加木香

宣風散 五七 治痘濕去積滯通秘結 攻黑陷裏寔　檳榔 二ヤ　陳皮　甘草 各ワ五

牽牛 四月半生半炒 取頭末一月　右為末每服ワ一量兒大小增減白湯調下

一方有大黃木香連翹三味煎成後加牽牛末調服

大柴胡湯 五八　柴胡　枳寔 各二月二ワ　半夏 一月五ワ　赤芍 一月八ワ　黃芩 二月

大黃 三月七ワ五分　生姜大棗煎不拘寺服

承氣湯 五九　大黃 ワ四　厚樸 ワ二　枳寔 ワ三　水煎服

涼膈消毒飲 六十

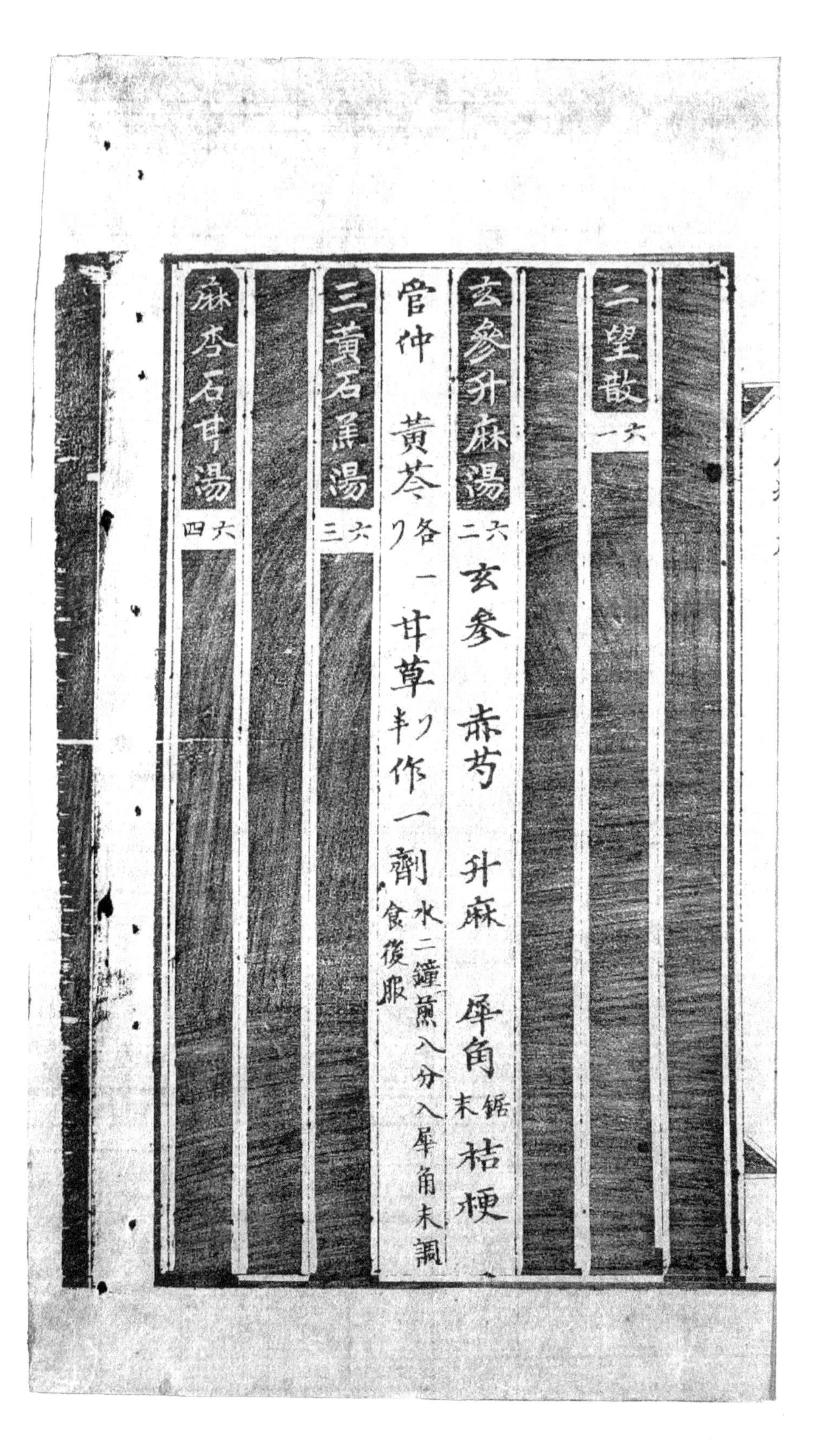

二望散 一六
玄參升麻湯 二六
玄參 赤芍 升麻 犀角末鋸 桔梗
管仲 黄芩各一 甘草半作一劑 水二鐘煎八分入犀角末調 食後服
三黄石羔湯 三六
麻杏石甘湯 四六

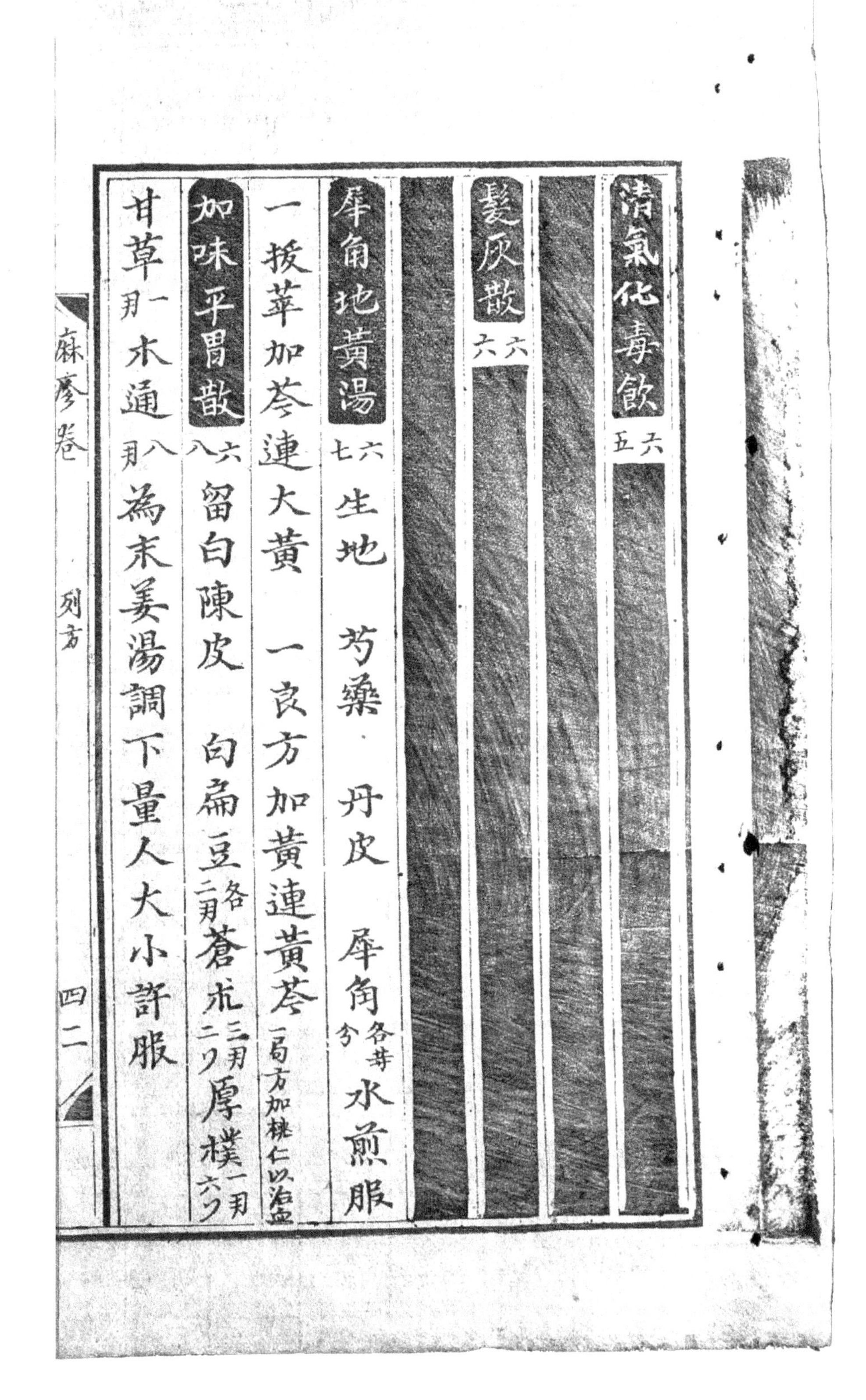

清氣化毒飲 六五

髮灰散 六六

犀角地黃湯 六七 生地　芍藥　丹皮　犀角各等分　水煎服

一拔萃加芩連大黃　一良方加黃連黃芩一局方加桃仁以治血

加味平胃散 六八 留白陳皮　白扁豆各二兩　蒼朮三兩二錢　厚樸一兩六錢

甘草一兩　木通八兩　為末姜湯調下量人大小許服

痲疹卷　列方　四二

黄芩湯 六九 黄芩 黄連 梔子 生地 木通 澤瀉 甘草 麥冬 水煎食前服

竹茹石羔湯 七十 仲景方 石羔五ク 人參一ク 麥冬一ク半 甘草七分 淡竹葉十四片 粳米一撮 大水煎入姜汁二匙調服

温胃飲 七一 人參 白朮 扁豆 陳皮 乾姜 炙草 當歸 水煎服

五君煎 七二 人參三ク 白朮 茯苓各二ク 炙草一ク 乾姜二ク 水煎服

胃關煎 七三 熟地三五ク 山藥二ク 扁豆二ク 炙草二ク 焦姜二ク

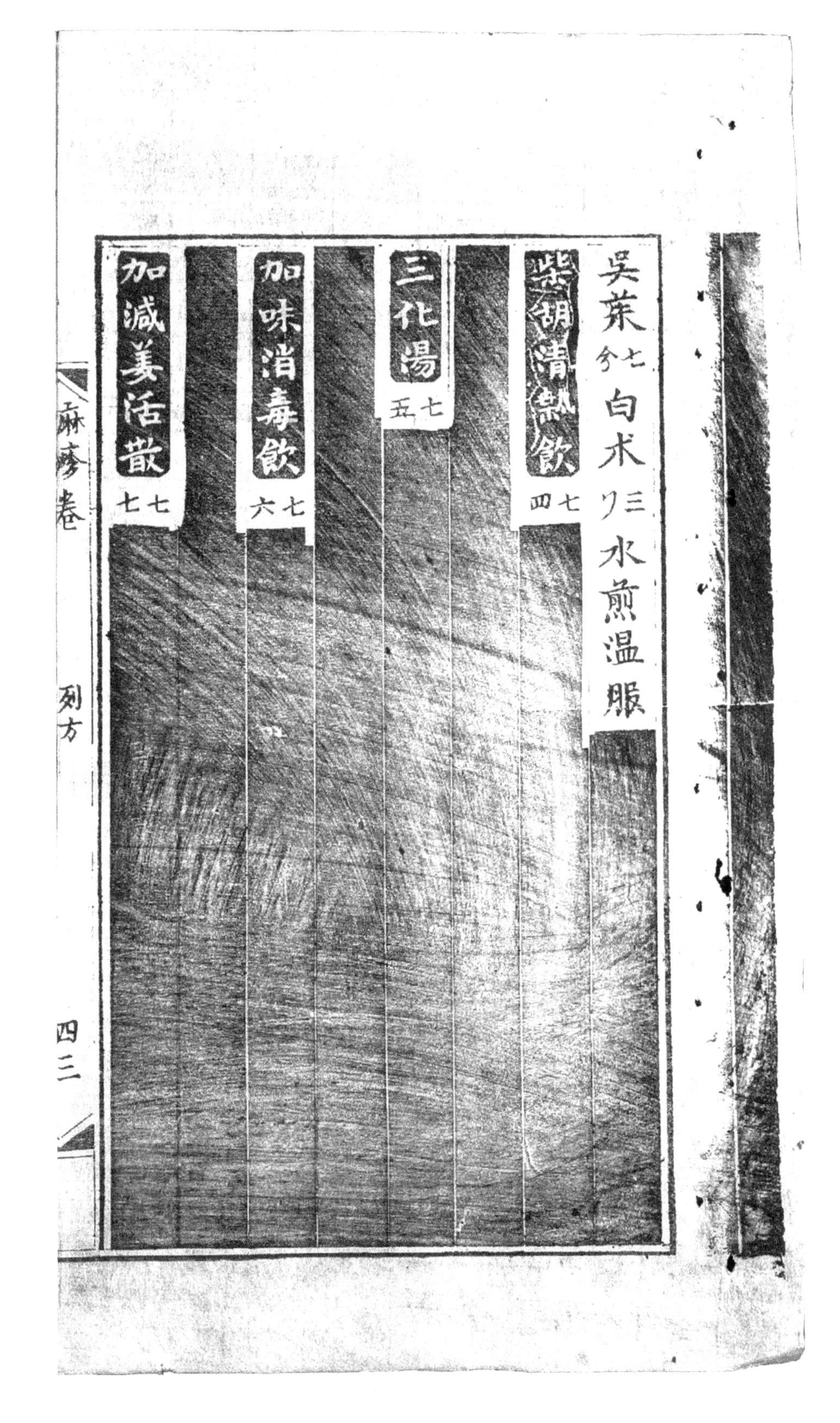
吴茱七分 白术リ三 水煎温服
柴胡清熱飲 七四
三化湯 七五
加味消毒飲 七六
加減羌活散 七七
麻疹卷 列方 四三

升麻化癥湯 七八

活血散 七九 白芍 玄胡 當歸 川芎 各四刄 肉桂 一刄

右爲末每服ク四或煎食後熱服 **四苓散** 八十 已見在上五三

六氣煎 八一 條芪 肉桂 人參 白朮 當歸 炙草 水煎服

貞元飲 八二 熹地 炙草 當歸 水煎溫服

人參湯 八三 人參 茯苓 黃芩 陳皮 羌活 麻黃

濁椒 去目并合口者炒 出汗各一ク半 水煎食後服

兒茶散　八四

三黃湯　八五

天水散　八六　活石六兩　甘草一兩　爲末新汲水調下

五苓散　八七　猪苓　澤瀉　茯苓　白朮　肉桂　煎服

神砂益元散　八八　活石六兩　甘草一兩　神砂三分　爲末水調服

錦囊治案　寺瘕疹大行而甚危諸醫率用清解表托而

無功其症有身體俱現而面上隱隱退縮壯熱喘咳煩燥不食泄瀉者有身面俱現而面赤壯熱喘嗽不食泄瀉者要知皆陽外越而陰内竭中氣弱而肺氣傷其次之有餘乃由水之不足昧者槩云麻疹餘毒然不知寔係氣血大傷即陰陽二氣而為病也　先師按其脉脉寸彊尺弱或細數無力者並以全真一氣湯去人參量人大小授之一二劑後喘熱俱退熟睡日餘神爽思食并向有口瘡目患者皆從此而愈可見陽藏陰長之妙

用惟脉共有力人彊氣壯者方用連翹貝母牛蒡甘桔丹皮生地之類清解之若不知陰竭陽浮之理槩採表疹解毒之方不惟不勝治終亦不可治殆至陰陽並竭而煩燥喘促猶云疹毒內攻元神脫盡而目瞪口噤尚認爲變驚調治何其昧之甚耶

一案先師長孫年四歲時當夏月發疹因不肯服藥乃避風靖攝聽之熱至五六日精神甚疲昏睡露睛身上隱隱出現頭面甚微且額熱如烙腿足溫和飲食不進

焦燥無汗　先師曰面不起者乃陽虛不能上耗也額熱倍常乃龍雷之火上乘也不食神昏者久熱傷中而中氣不運也焦燥無汗者久熱而真陰枯涸也昏睡露睛者神疲而督脉急促也若用疏散益耗真陰虛火内熾風從内起必有似驚非驚之変況陰竭而復行疏解則真陰愈槁必有枉乱煩燥之虞氣血根本既敗其爲氣血無形変現之癍疹何自而充托於外哉乃用熟地八ヲ温水以爲君　白术三ヲ炒黄固中氣以爲臣　牛膝一ヲ四分使其㵎陰下降　麥冬二ヲ炒燥收接肺氣　五味三分

斂納龍雷下歸並以為佐製附六分直固丹田以為使則真陽既得而面上之疹不攻自起矣額上之火焰不解自退矣真陰既得則身上之焦燥自可致汗而和矣果服後一一響應但以熱狼損脫間以人參八分麥冬一錢五味五粒煎湯溫服次日精旺神強如故或疑五味酸斂為虞殊不知內有附子大力之藥一飲則其力愈大真陽一壯於中陰翳頓解於外所謂一勝則一負也故滋其水以取汗汗出裕如壯真陽以散假陽假陽頓釋如太陽一照龍雷自息也水火既

濟百病俱止再調正氣於內邪氣自散於外故治有形之百病皆當於無形中之氣血求之則有形之變幻盡屬於無形之虛張誰謂外邪之傳襲寔是本身之發現不求本而妄行驅逐其有不敗者幾希

一案泥觀社冷孫年方三歲發熱數日而見麻疹纔一日而面上盡没神氣困極蛔虫口出不一而足數日不食又下瀉上喘唇口焦裂五心壯熱手足指爪皆冷脉則細數無倫兩尺更弱醫家病家咸謂疹毒歸臟熱極於

胃故蛔虫出姝不知病人之神氣飲脫五臟俱困脾虛不能健運何能納食消穀穀食久虛虫無所食又爍津液枯槁虛火薰蒸臟腑燥熱虫難安其身而出也況諸癍疹多由內傷失調脾胃不足是以鍊逆行陰覆於外耳凡氣血壯盛則色紅而掀發氣血衰弱則色白而隱伏有何毒之輕重乎面上退縮者陽虛不能上托也有何毒之內攻乎喘促者氣短難續也唇焦者脾津耗竭也五心壯熱者陰虛火燥也泄瀉不食者真火衰而脾

不運也寸關細數而尺弱者氣虛血虛虛火上浮而不藏源若非陰中補火使龍雷歛納存此一點元陽何以爲生身立命之本況急則治其標緩則治其本今日之急本氣欲脫也經所謂有標而本之以所急爲標本也倘不知所急仍謂麻疹餘毒解利清托爲事恐神氣先盡於麻疹之先矣況卽大癰腫毒皆氣血留結而成形因何臟之虛處而發現於其部皆本身氣血之病也豈真有何毒入於氣血中而爲害乎豈可以俗尚解毒之

方而委人性命於垂絶哉乃以熟地六錢丹皮二錢麥冬三錢
牛膝二錢附子六分煎服一劑假火假熱全消真寒真虛悉
露神氣更倦　先師曰陰已少復當補氣以助其發生
乃照前方另煎人參五錢冲服服後昏睡徹夜神氣漸爽
身熱喘促全安始能飲粥而微嘔乃胃氣久虛之故也
乃用全真冲參服三四劑而全愈或疑五味酸歛有礙麻
疹是尚泥麻疹爲有迹之毒而未透乎氣血無形之所
化也況有附子之大力通經達絡何慮五味酸收之小

救哉若不借此少歛則五臟浮散之殘陽何因藏納而爲發生之根本乎凡觀古人之用藥一開一闔皆不失疎泄閉藏之至意也先師以此方常治麻疹陰分焦燥熱極煩燥上喘下瀉上寔下虛上熱下寒之症投服即愈正兵鶴皋所謂以參附而治瘋者法之変也醫不達權爲足語此况用陰藥爲君則惟有向陰制火之力尚何存辛熱強陽之性哉

麻疹準繩卷畢 清義奉書

新鐫海上醫宗心領全帙卷之四十五

小引

醫家治療藥品。總名曰方。方者倣也。古人倣此病。以立此方。蓋医之有方。猶奕之有勢。反正逆從。方之法也。殺奪拏折。奕之勢也。是以先哲畧陳間架。以爲升堂入室之門戶耳。余中年因病而醫。常從昧者只以医學一書反覆研究。四五載間。然寔虛不確。陰陽不真。補瀉不定。法出南轅。方歸北轍。每於臨症。以病合方。難免廣絡原野之誤。後讀錦囊全帙。方悟太極先天之真體。無形水火之妙用。大都取重六味八味二神劑。乃能識標取本。不流於治頭治脚之譏。繼而二女安。三女完。罹此沉疴。命存一線。極力挽回於無何有之鄉。幸以再生。誠有所得於真水真火之僊丹。元陰元陽之秘竅也。因感激不盡。以爲紙上餘師。乃圖繪張公神像。四序蒸嘗。以報無窮之遺澤。即以錦囊書中纂輯先師所製方論。及因症隨用藥品。奉設方名。辨解方旨。類爲一集。以爲袖中之金鑑。衛生之至寶。顏之曰心得神方集云。是引。

黎氏別號海上懶翁原引。

心得神方卷　奉撰錦囊方論

目次

氣血沖和逐毒方　補氣血逐痰方　清火邪止嘔逆方
三癃神方　木香散秘方　加味平胃散秘方
加味五苓散　黑靈丹　救陽湯
助陽方　鎮納眞陽方　補火生土納氣藏元方
回陽祛風湯　壯水益火方　陽虛益火方
補血生津方　驅寒方　參桂附方
五味理中湯　救脫方　補眞陰清假熱方
滋金壯水方　補精方　五臟兼滋膏

口痒吹藥神方

猪肝散

治痝神方

擦牙至寶散

右該七十目

心得神方卷　奉撰錦囊集內

海上懶翁黎氏纂輯

後學唐郈武春軒奉較

全真一氣湯 即救陰湯

熟地 八錢大便不實焙乾陰虛甚者倍用　白朮 炒黃置地上去火毒陰虛乳浸三錢脾虛五錢

人參 二錢虛極一二兩隨用如脈洪不用　麥門 三錢胃寒米炒脾弱肺虛少減

五味 五分　牛膝 二錢　製附 一二錢　水煎溫服

主治中風大病陰虛發熱吐血咳嗽一切虛勞重症兼治沉

重癥痰上喘下瀉上實下虛上熱下寒投服立愈實有神功此方誠滋陰降火之神劑然假熱一退眞寒自生切勿過劑反增虛寒滑瀉之症

增損用

一如燥渴倍熟地　一肺熱多麥門

一脾虛則白朮重投　一陽虛倍附子

一氣浮氣散必五味牛畧多　一元氣大虛則人參大進

一有假陽在上去參　一筋骨痿者加生杜仲三以鹽酒炒

夫補水氣血各有其藥獨脾腎之陰不足兼心肺之火宜抑而脾腎之陽宜溫寔無其藥而先師夢寐求之始定本方加減出入亦水中補火土內藏陽之義爲土金水一氣化源之藥也余今按一氣湯乃治虛熱之聖藥老人虛人最宜及小兒癍疹沉疴爲尤要其加減惟杜仲一味耳余皆從本方增損之亦不敢穿鑿余奉之久矣十用十當每每觸類旁通俾脾肺腎同隊多能奏功如先師去參以治癍疹乃避其火也余加肉桂以袪治虛風欲壯其火也仍用本方則救脾腎之

陰去熟地麥門牛膝加炮姜炙草則救脾腎之陽大要方中熟地白朮乃是主藥一主先天一主後天欲扶先天當屬心於熟欲扶後天當屬意於朮人參為參佐之功麥味膝附乃卒伍之徒惟視聽於旗鼓故治病者各有主藥古人先煎之法為首重也學者當知有參朮則有升柴可以提陽有熟地則有桂附方能補火今則脾腎不同神而明之惟在熟朮為主耳

○養榮歸脾湯

熟地八リ　棗仁一リ　白朮三リ　白芍一リ二分

茯苓一钱半　牛膝二钱　麥冬二钱米炒　五味六分

肉桂八分　加燈心蓮子水煎服

主治一切勞傷發熱咳嗽吐血似痨非痨懶食倦怠寸洪尺弱諸症

余按此合二方氣血之藥為用加麥味以斂納肺氣緣因勞而咳嗽加牛膝以引濁陰下歸以安發熱而吐血然二古方並取人參為君今則去之何也蓋陰虛火動氣即火補氣即火熱豈不為氣盛而陰消者乎陰愈虛而火愈熾肺氣殘傷則咳嗽吐紅何已故去之也

十全補正湯

人參一リ半　炙芪二リ　棗仁二リ　當歸一リ二分
白芍二リ　白朮二リ　白茯苓二リ二分　杜仲一リ生用
續斷二リ二分　牛膝二リ　肉桂八分　棗子二枚煎服

增損用

一如心有浮熱加燈心　一陰虛甚加熟地
一外感去參加柴胡生姜　一氣滯加木香少許
一肺脉洪大去黄芪　一咳嗽去參芪加麥冬

一右㕮有力去桂

主治心脾陽氣不足五臟氣血並傷自汗惡寒身熱腰背疼痛感月寺氣似癆非癆勞傷發熱等症

余按此方乃名爲十全補正五臟均調氣血並補倘有外邪乘虛而襲者正氣得此補助之功自能合相驅逐而邪無可容之地書曰補。正。而。邪。自。除。余今按此方乃古方十全湯去芎藭草加棗仲膝斷古方以氣血藥同等爲君臣以芪桂爲鼓舞只恐學者於氣血輕重之中未易別症處方自取不靈

不變今用棗仁補心之陰仲斷膝更得芪桂調達周身筋絡
則補正逐邪之功易於建䏍
遡源救腎湯
熟地焙五リ　麥門炒　白术乳浸炒各三リ　白芍一リ二分
茯苓一リ半　杜仲二リ生用　續斷二リ半　牛膝リ二
黑姜六分　加燈心蓮子煎服
主治産後氣血大虛陰虛發熱身痛自汗惡寒惡食頭疼口
乾惡熱諸症乘虛蜂起致成蓐勞並有奇效

增損用

一　如惡露未行腹有微痛加益母一錢　一　感月加柴胡八分

一　虛甚冲參服　一　如惡露尚未通服保產無憂湯更妙

余今按此方用熟芎之純靜不用芎歸之辛香以其產後陰分大虛故也用苓朮以補陽不用人參恐血虛發熱補氣即補火爲礙也不用炙草以彼留住中宮不速達至陰之地也加麥冬以和陰伸斷乃産後諸虛之要藥佐用黑姜乃血虛發熱之需牛膝引濁陰下歸更加燈心以行陰分進内使諸

藥功力並臻實爲產后之神劑余奉之以爲至寶

○保產萬全湯

人參五リ補元氣爲君　當歸三リ補榮血爲臣

川芎二リ八升提則下降藥得力　桃仁十三粒留皮取苦可升可降能疏瘀少焉去舊生新治能潤下

乾姜一リ炒焦則下降能過上升　炙草六分令少緩中宮炎溫行血分蓋不容即爲下墜也

牛膝二リ既下行諸經絡　紅花酒炒三分多用則破又能使氣血以運行血少用則活血生新

肉桂六分冬天八分借此引經辛諸藥速入血分散瘀則易產　棗二枚水煎溫服

夫甘溫調補氣血氣血得力自能健運催生此不催而催也

參歸爲君壯其主也少加桃紅芎草黑姜溫中而散滯瘀膝桂溫行導下使無逆上冲心之患不惟催生神效産后且無瘀血滞凝百病補而兼溫則不滯溫而兼補則不崩升少降多則氣得提而血易下降而兼升則瘀自去而新自生補多瀉少則邪去而元氣無傷苦少甘多則瘀逐而中和自在

方

余按此本生化湯加參桂膝紅蓋産寺用力有參則母子精力不乏有紅之通血膝之降下桂之宣通則健運之勢不待言矣此産前可以催生産後可以逐瘀較生化湯更特勝矣

壯水方

熟地一月　丹參一ソ半　麥門　白芍生用各三ソ

茯苓　丹皮各一ソ半　遠志一ソ二分　牛膝三ソ

五味六分　蓮子十粒　燈心十根　水煎温和服凡滋陰藥

忌熱服熱不滋陰冷不行經

主治陰道虧極孤陽無斂火性上炎僵僕爲候宜吞八味丸

使真陽藏納然陽無陰斂何能久藏火無水制難免浮越隨

以重濁大料壯水繼之以助主蟄封藏之勢則水火各安兵

所矣
余今按此方云重濁壯水何不用全料六味以壯水之主而只用熟地補水茯苓降陽中陰牡丹清東方火蓋以山茱補肝恐肝氣亢山藥補土勢必中緩澤瀉滲利豈無傷陰而去之當矣更借以牛膝降陰五味斂氣以助封藏麥門補金水白芍伐肝火斂肝血使火不亢丹參峻補後天陰血遠志補心中之陰以醒救僵僕昏迷之候也

○大補心脾氣血方

棗仁　當歸　白术　白芍

茯神　遠志　人參　肉桂

五味　水煎温服

主治元氣大虛卒倒脱症漸生宜服與八味丸間補

余按心統血脾生血凡卒倒之症無不因於氣血大虛既以八味丸補水火以生氣間服心脾陰藥以補後天之陰更獨重於肉桂五味一以鼓舞宣通一以收斂藏納深得陰陽開闔之至理也

○補陰斂陽方

人參　熟地　麥門　牛膝

丹參　白芍　茯神　遠志

炭姜　水煎服

主治面赤如裝不省人事口多譫語手足躁動脉則洪大搏指此真陰失守虛陽上浮神氣欲脫

余按此症係是陰亡于內陽脫于外然猶面赤譫妄躁動脉洪故偏用陰藥以救陰如君人參以挽回孤陽此氣藥而兼

補血乃能與陰藥相濟不用朮附以其躁悍非陰分所宜如

四物中只用蘇苟不用芎歸以其雖血藥而香耗辛散難爲

此時之計惟要靜以藏陰歛陽也

○久痢方

人參　茯苓　當歸　白芍

白朮　肉桂　五味　水煎服

主治久痢已危一日昏暈數次大脉俱微勿以積氣未盡悉

加補益則佳積氣爲論書云壯人無積未聞壯而反滯若欲

遲遲而後補恐無受補之理矣

余按此方以參苓朮補氣以歸芍和血以肉桂鼓舞且得五味則宜通愈速此以行氣非用五味以酸斂而止痢也此亦猶壯者用檳榔枳實以行氣之意書云和血行氣治痢之提綱

○補血調氣舒筋活絡方

當歸　白朮　白芍　天麻煨

熟地　茯苓　牛膝　金銀

秦艽　製附　煎服若勢稍緩冲參服

主治小兒痘後氣血大虛發爲驚癇誤用清凉滲利尅伐虛火上乘無故卒倒猶大人中風症也惟宜峻補氣血佐以舒筋活絡之藥

余按卒倒之症不問真風類風皆由陰虛氣弱而然故治當以氣血爲主佐以風藥如金銀天麻秦艽皆風藥中之潤品若不知所用雜以姜獨細辛之類則辛燥耗陰愈增其亂耳

○養血祛風方

熟地　當歸　白芍三味養血爲君　金銀

秦艽二味風中獨藥爲臣借風勢達藥於筋骨　牛膝　杜仲

續斷三味爲佐使以調筋骨疼痛受傷之所　桂枝　松節爲引以行兩臂

主治忽然左手足疼痛漸至甚如刀割旦夕呼號漸移至右手足皆遍六脈弦洪等症如疼勢稍減精神日餐更加以參朮固中培元後諸症漸平以生脈送八味丸加牛膝鹿茸杜仲

按之腹中和緩食入即化清升濁降氣血冲和百達調暢可得長生者皆仗此丹田一點元陽運化而爲之也若無一點元陽則腹中冷矣不能以有生也故凡感寒中寒直達於裏以

見裏無火也火即元陽也書云即須温補不可少緩以元陽
既衰外邪復湊幾希之火不甚温補以保之則爲陰寒所臧
甚速矣奈何世人更以風寒連串稱呼認作外感有餘之症
始則辛温發散繼而疎利開豁終以寒凉清裏不論傷風傷
寒不究正邪虛實不詳火之真假如是治法習成故套不知
古人借藥以衛生今人用藥以傷生艮可嘆矣要知筋骨中
滋養充足則血自榮於脉中氣自衛於脉外縱有彊邪何能
深入今脂膏不足筋骨失所養矣氣血久虛榮衛失其職矣

誠不思目得血而能視掌得血而能握足得血而能步人身上下大小何物莫不賴此血而後各勤其職若無此血則百職各癈矣其虛火冲爍愈疼而火愈升火愈升而疼愈甚呼號傷氣忍痛傷血氣血日傷必至麻木癱瘓而後已

余按書云治風先治血血行風自滅故此首重血藥又曰祛風莫過燥故仁以潤品如古方以射香全蝎白附殭蠶彊悍輩爲對藥必體壯邪實或可暫投倘不分虛實而亂用之輕劑類生重則絶命

○補中養血舒筋方

人參　白朮補中為君　當歸　白芍

杜仲　續斷　牛膝　秦艽

桂枝舒筋活絡為使

水煎服

主治手足疼痛胸腹絞痛本因直中寒邪

按古方中求之痛風只有五痺皮痺脉痺肌痺骨痺筋痺未聞有臟腑之痺也殊不知經曰寒氣勝者為痛痺又曰其留連筋骨者疼久留皮膚間者易治如入臟者死可不慎哉

余按凡治虛風內發則君血藥佐以風中潤藥足矣今則本因寒邪直中不但四肢疼痛兼胸腹絞痛故偏重氣分之藥參朮以救陽書云慈溫以保之畏其肅殺之慘也

○調補氣血方

人參　黃芪　當歸　白朮

白芍　牛膝　黑姜　肉桂

水煎服

主治難產婦人精血已竭不省人事六脉沉微懨懨一息腹

中毫不覺動此是母子精力俱竭何能徤運

者夫医不貴乎識病貴乎焉得病來之源氣血消長之故虛實變化之微陰陽盛衰之脉投之以藥誠易矣若過求多岐沾高尚異人則南轅藥反北轍蓋萬姓面目有殊而臟腑陰陽則一百病名目雖異而總不外乎氣血之中難越乎虛實之理故於氣血虛實間焉得眞情對脉用藥則以治一病之法旁通可以治百病以治百病之法究竟根本猶治夫一病也

方余按此惟以氣血藥佐以牛膝下降黒姜溫血分肉桂宣通

血脉使母子精力俱壯則氣血自然運用不催而催也

○補氣血壯筋骨方

人參　黄芪　當歸　白朮

棗仁　茯苓　白芍　續斷

杜仲　牛膝　薄桂　大棗煎服

主治氣血虚足瘘宜與八味丸加鹿茸杜仲牛膝間服

余按此方氣藥中用參苓朮去甘草以其治在下部血藥中用歸芍不用熹以其與八味間服已多得熹地之餘波去川芎

其上焮也加萆桂從十全來加棗仁大棗從歸脾來加膝仲斷爲筋骨之用也

○補血清熱消毒方

生地　當歸　赤芍　丹皮

革薢　首烏　金銀　連翹

胡麻子　土貝母　木通節　土茯苓

鱉甲　甘草　水煎服

主治大人癩瘡及小兒遍體癩瘡痛癢煩啼宜大劑與乳母服

按立齋曰氣血衰而變現諸症莫可名狀故善治者熹得氣血
虛實之情陰陽變化之用症脉眞假之微則病雖變現百出
總不外乎陰陽氣血之中盡之矣至於諸瘡腫毒感於六腑
者發於皮膚腠肉感於五臟者發於經絡骨髓莫非陰陽氣
血凝滯而生氣血有餘則紅腫高起而爲陽毒氣血不足則
陰塌平陷而爲陰毒丹溪所謂陰滯於陽陽滯於陰百病皆
出于此不止癰疽已也經云邪之所湊其正必虛著而不去
其病爲寔是也夫陰陽不和氣血凝滯陽不足則寒濕停凝

陰不足則火勢沸騰由是血爲之濁氣爲之亂隧道壅塞猶水流不通今氣血既凝而欝不能各隨經絡滲於脈中溢於脈外爲腐潰矣名之曰毒者氣血不和也非謂氣血中而有毒也然大毒腫發於骨髓經絡不於先天水火眞陰眞陽求之不能療也若諸小瘡癤不於後天氣血求之亦無益也奈何近醫一遇瘡腫便作外染之邪有餘之毒尅制寒凉疎解清利輕者熱邪外散亦可喧和重者氣血更傷難潰難長多致内攻不救。余按本方歸地首烏補血丹皮赤芍凉血萆薢銀翹貝

鱉胡麻芩通皆瘡家消毒之對藥使以木通者一瀉心火以諸瘡屬火故也一以搬運諸藥得從乳汁而下

○滋補氣血方

熟地　棗仁各四ㄅ　人參　牛膝

麥門各三ㄅ　當歸一ㄅ半　肉桂八分　五味六分

姜三片棗二枚水煎服

主治氣血虛咽喉腐潰成穴不知疼痛此如物失天日之照臨則易爲腐壞名曰陰爛蓋如地之氷凍之處一得陽和則

凝解而氷自消矣宜先用救陽湯去參繼用此方後用八味加牛膝五味或用吹藥

余按參補氣當歸補血熟地補血之母棗仁補心脾以生血麥味補肺肺管卽喉牛膝降陰濁之毒肉桂長陽和之氣姜棗和脾胃使之運行誠良方也

○滋陰解托方

熟地　山藥生用　金銀　天虫

甘草　穿甲　連翹　土貝母

角刺　　水煎服

主治癰毒

余按此方惟熟地一味是滋陰餘皆解毒托瘡之品獨怪山藥乃脾胃中氣不足之用而混入治瘡隊中功力何在丹溪云山藥能調氣血留滯自行故腫硬立消然凡癰腫宜生用蓋熟補而生行也余每生用敷無名腫毒甚效

〇排膿托裏助氣血方

人參　黃芪　當歸　白朮

天虽　白芍　穿甲　金銀

角刺　草節　白芷　水煎服

主治癰疽瘡毒諸症㱏宜

余按此方生芪角刺甲片天虽皆托瘡之要藥金銀草節白芷乃排膿之上品合之可以治癰毒然排膿托裏非氣血藥不可故以芪朮補氣歸芍補血書云氣血不和留結爲癰備氣行血從榮衛周流何有癰腫之患乎故凡治癰瘡當以氣血爲主倘逢大毒更當以氣血之根本爲事方能有濟

氣血冲和逐毒方

人參　黃芪　當歸　白朮

茯苓　白芍　薄桂　金銀

角刺　水煎服

主治老人右頰腫硬連及頤項耳後一片堅實不熱不痛漸至口內出膿牙噤口閉飲食少進精神日衰脉則洪而空此是氣血大衰陰寒所聚不得陽和何能外解故爲內潰宜用豬脂膏外治內服八味丸引用冲和方使眞陽一得陰寒自

解氣血冲和自能逐毒可見諸瘡毒病全以水火爲根氣血爲用而膿腫之成舍水火氣血之方（何）將以爲攻托釀膿之具誠攻補之妙也

余按參芪苓朮補氣歸芎補血以薄桂鼓舞之佐以銀刺潰癰逐毒此可以見毒乃氣血不和之謂欲治毒者當以氣血爲事則毒不攻而自破若徒以攻逐爲能氣血愈傷毒必盛愈衰

○補氣血逐瘀方

人參保元固中爲君　黃芪助表達表爲臣　當歸和養氣血　白朮補脾燥濕

桂枝調營衛溫肌肉

麥門保肺氣　五味斂耗散之金　炙草補脾並以爲佐

麻黃力猛率衆藥徹皮毛恐桂麻辛熱有傷營驅陰凝痰作陽和液　白芍陰和肝以抑二藥之性

生姜三片棗子二枚水煎服後以八味十全歸脾開服

主治宦者失志欝抑成痰六脉弦細而數飲食入胃盡化爲痰必咳嗽痰涎盡出而始卧不盡不安

按經所謂常貴後賤名曰脫營常富後貧名曰失精以致氣血日耗神不外揚吐痰不已是以津液内耗於裡安能潤澤於表所以䐈肉漸削惡寒懶食蓋衛氣者充皮毛溫肉分司

開闔肥腠理以護衛於肌膚也然營氣嘗隨衛氣而行所以
潤皮毛榮脉絡者也今中氣既弱而且鬱則氣結聚而不宣
何能充皮毛溫肉分而開發腠理乎氣失護衛於表則惡寒
血無氣運於裏則肌枯中氣既虛脾失健運飲食既蒸鬱而
爲痰脾胃既傷則不能復成津液而爲血是以不但肌表之腠理乾枯
閉塞則腸胃之腠理烏可得血而充之開而發之是由纖密
不通故津液安能流行於脉絡肌表之外乎且津液既凝滯
而爲痰則痰愈多而津液愈竭矣

余按參芪术草補氣麥味補斂肺氣歸芍補血麻桂行表發

姜棗和胃氣氣達則無痰故能建功

○清火邪止嘔逆方

生地　麥門各二ソ　條芩一　知母各一ソ二分

橘皮盬湯泡七分　茯苓一ソ半　白芍生用一ソ二分　甘草三分

葛根一ソ提胃中真氣　竹茹二ソ鮮淡竹括去青後取裏黃皮　燈心一把

水煎溫服

主治婦人姙娠久吐不已諸藥不效經曰諸吐酸皆屬于火

此之謂也此方爲救急治標之法吐愈之後仍以六味加麥門阿膠爲丸久服調理其本

余按地芍滋陰凉血條芩清火知母伐火麥冬潤燥葛根開胃清氣陳皮行滯竹茹止嘔燈心下浮氣而嘔逆自止矣

○三瘧神方

白朮三分　人參　茯苓　半夏各八分

陳皮　柴胡　草菓　常山酒炒各六分

澤瀉　青皮各四分　甘草三分

棗一枚水煎發日五更時服

主治瘧久年不愈者神效

余按方書云無痰不成瘧此必痰而瘧也以愚觀之無瘧不成痰蓋脾虛爲瘧是瘧本於脾（且脾主信）而發作有時痰乃五味凝結濁氣之所化脾虛則五味不化不化則不生津液而生痰此脾不虛則不瘧瘧則脾愈虛而痰愈盛故治瘧之要當健脾滲湿行津液化痰凝此方用四君以健脾陳半以化痰苓澤以滲濕青皮平木以救土柴胡定寒熱往來常山草菓

正治其疶姜棗補胃以行藥力投之無不神效也

○木香散秘方

木香晒　炙草　肉菓麪炒去油　訶子去皮炒各五分

蒼朮炒　澤瀉炒　厚樸姜汁炒　木通

乾姜炒　車前焙　陳皮炒　白朮炒各一月

猪苓炒二月　肉桂三分不見火　爲末炒砂仁生姜煎湯調下

神治久瀉脾虚及變慢脾風候量大小服之

余按諸品乃温中健脾滲濕爲用也蓋瀉乃小腸不能滲尚

膀胱不能滲入水穀併歸大腸而瀉故治瀉諸方惟以滲利爲要此用五苓猶恐不勝再入車前木通當矣獨惟五苓中不用茯苓何也蓋慢脾風係元陽大虛之候本草云陽虛者禁用先師立方詳悉學者妄投其可得哉

○加味平胃散秘方　神治水瀉

陳皮留白炒　扁豆炒各二月四リ　蒼朮炒二月二リ　厚樸姜炒二月二リ

木通炒八リ　共爲末姜湯調下量大小服

余按書云土太過爲壞埠壞埠則平之而本方此治土之太

過故用亢悍之品加木通以利水扁豆以治瀉凡邪實之症宜之

○加減五苓散

陳皮留白三分　蒼朮炒二分　白朮炒五分　白茯苓焙五分

炙草二分　扁豆炒六分　澤瀉炒二分

爲末用黑砂糖調煨姜湯下量大小服

神治脾虚濕熱作瀉

余按此方合四苓平胃爲用四苓去猪苓不必過滲也平胃去厚樸不必過伐也以小兒嫩薄不可輕用要在黑砂糖味

甘入脾胃乃木之淨土土與木同類也

○黑靈丹

廣皮黑炒　三稜炒　莪朮炒　青皮二炒黑各

連翹焙　砂仁三焙各　黑丑頭末炒另取　乾姜黑炒

梹榔焙各七　百草霜一　肉桂火不見一　肉荳蔻麵煨各五以

爲末用黑砂糖調白痢生姜湯赤痢甘草湯大人三以

小兒自八分至一以　主治痢疾神效

余按二皮稜莪榔丑皆行滯破積之力姜砂蔻桂皆溫脾補

土之功連翹清熱叒百草止下血然至妙惟在黑之一字必

膿血無不立止實非黃連瀉火之能及也

○救陽湯

白朮固中氣爲君　人參保元接續爲臣　炮姜煖中健行爲佐　五味收斂闔藏爲佐

附子氣猛下走爲使　炙草緩中宮爲使　水煎服

此方培土益火救脾胃之陽虛六脉沉微身熱四肢厥冷狂

言不寐口渴浩飲泄瀉不止

夫救陰方兼補脾腎之陰救陽方專補脾腎之陽有一症必

脈沉微身熱四肢厥冷發狂譫語連夜不寐口渴浩飲二便
便閉似乎實熱此不知陰伏于內逼陽于外因津液不行故
小便秘而口乾非實熱也因穀食久虛故大便秘而不通非
燥結也若不急爲斂納則真陰真陽竝竭矣乃用救陰方真
對症也有一症候脈氣同前但加以泄瀉不止此乃脾腎兩
敗火無所藏之地蓋火之藏納不外乎水土之中宜急用温補中
二焦下使龍雷得所藏之地乃用救陽方然救陽方不用蘗麥膝者
因有泄瀉走洩陽氣之端恐畧帶陰寒之味則姜朮附補陽

之力反緩耳（至於救陰）方不用炮姜炙草蓋欲熟地麥門滋補真陰若兼姜草中宮之藥則不能達下且熟地甘温柔潤之品雜入炮姜辛熱炙草温中之藥則不但柔潤之性全失而熟地毫無著落矣故地黄（下焦）凡從來無加芎歸姜草之類也

余按此方一以參附之回陽一以朮附之固中合之爲人參理中又爲附子理中加入五味使之斂納以挽虚陽外浮虚下瀉其神妙專在此歟

○助陽方

白朮炒八　麥門炒三　炮姜三　牛膝二

附子一　五味一　水煎温服

主治素患痰喘旦夕不寐兩寸少洪餘皆沉弱右關尺微細更甚此乃命門火衰之極無根虛陽上浮且久服尅削脾元虛損愈甚不能滲濕消痰以致痰涎益盛更不知接納藏元以致氣虛愈逆

又治發熱牙疼腫爛舌起火泡白苔甚厚疼痛難忍誤服清解腫爛更甚精神恍惚狠狽不堪左關尺甚微惟兩寸少洪

此乃龍雷之火亦能焚焦草木豈必實熱方使口舌生瘡乎蓋[秘]脾元中氣虛弱不能接納下焦陰火上乘奔騰腫爛若一清胃中氣愈衰陰火益熾[則]宜爲温補下焦使火有所接引而退舍矣

余按此方亦是救陽方來去參草加麥味蓋以虛陽上浮龍火焚越而去補氣之人參更欲納氣消痰引火退舍而去留中之炙草故余題曰助陽由無人參之補陽也

○鎮納真陽方

白朮三月　人參二月　炮姜三卩　五味一卩半

製附リ三　水煎服

王治小兒患咳嗽甚頻其人身體肥白頰色常紅表有餘裏不足上假熱下眞寒誤服寒凉煩燥更甚飲水無度喘急大作徧身麻木潰汗如雨神昏目直口噤脉兩尺無根兩寸右關尚存而已

余按此方白朮多而人參少因宮中久困寒凉苟不先理其中則陽氣難於下達矣去炙草者脉見兩尺無根治在回陽納氣爲急務恐炙草本中宮珍需用之勢必留住諸藥此急討非緩圖之所宜也

補火生土納氣藏元方 熟地八リ炒乾 白朮六リ 炮姜二リ

熟附二リ 五味十四粒 水煎服

主治腹中塊痛簇作攻心欲死上則不進飲食下則泄瀉無度六脉沉微已極右關尺似有似無此是火衰土虛之至腎家氣虛上凌於心脾土衰微不能接納奔豚之氣

按熟地補水以滋土白朮補土以固中姜附補火以生土但中宮既有陽和之氣而至陰寔爲納氣之鄉更入五味以斂之則祖氣有根而不拔元氣深藏而有源不失臟藏之義矣

腎尤主納不出之司故補者不知補藏納之臟則藥一緩必渙散無歸蓋五臟之中心以虛靈爲事肺以輸降爲功肝以疎泄爲能脾以健行爲用其位其職皆非克復藏納之地是以以五臟調和無過則臟之氣血精華何不輸歸于腎腎失其調而（歛理本調元及納氣藏源）者捨腎其誰與歸大要乎人而致於病必由水火二家先病也病至於大虛必由水火二道至極也至於大危者必由水火二氣將脫也故小病必由氣血之所傷大病必由水火之爲害治之者捨氣血以治小病捨水火以

治大病亦猶緣木求魚豈可得乎

余按脾惡濕而腎惡燥此方潤燥之藥共劑以急補脾腎乃玄妙之至矣蓋朮姜脾藥也熟地腎藥也附子從白朮則入脾從熟地則入腎更得五味斂納尤速熟地雖濡潤炒乾則甚香諸香先入脾故可以補脾之陰此氣之益脾味之滋腎何有燥潤之相反哉眞神妙劑也

○回陽祛風方亦名救脱方

人參 白朮炒各一 熟附分四 水煎服

至治小兒忽發抽掣竄引角弓反張二便并出額汗如雨亡陽之勢甚危此是脾陽下陷虛極肝木無養挾火上乘脾土益傷虛風乃發勿謂純陽之子而用苦寒也

余按此回陽方加白朮以固中氣雖有抽掣之急節而不敢用陰藥之柔緩以其陽脫也凡亡陽之際一毫陰藥不可用況寒凉乎

○壯水益火方 與八味同功之理

人參五ソ　熟地一月　熟附一ソ　水煎服

主治熱病形体枯槁牙齒堆垢唇口燥裂耳聾目盲遍身疼痛譫語煩躁脉沉微欲脫是釜底无火鍋蓋乾燥之象上之假熱由下之眞寒也余按熟地補眞水之主藥得附子向陰之甚速參與附則回陽補火而柔潤之質同熟地更能益陰乃能合力如此且此症理宜八味以水引火何不用八味蓋其脉沉微欲脫故不離參附回陽之力此誠立方之秘旨也然較之八味有熟地壯水必矣有桂附方可言益火第以桂之香竄可近熱欲陽之勢乎故以參代之以驅駕大附雖非甘辛之性亦有益火

之能亦不遠矣此三味之中且有八味之用書云方逡藂溪其在此乎

陽虚盐火方

人參リ五　白朮リ四　熹附　炮姜各一リ半

炙草リ一　水煎服

主治妊娠三月大吐藥食俱不能受六脉沉微已極若泥附子墮胎之說執而不用反投苦寒不亦誤甚合宜而用藥不執方誠格言也况補陽重用參朮爲之主持則乘載有力其熹附惟從君藥温補脾元安能自縱墜下之力哉且脾喜煖

而惡寒若久爲陰寒所困則胎元亦無生氣今則煖劑救則援
脾困得解而旺健胎亦賴此而生機矣噫百病皆然豈止胎
門若是蓋極寒極熱極攻極補之藥用之得當俱可益人用
之一誤俱可害人

余按經云應犯而犯似乎無犯蓋有此病則病當之胎因脾寒而胃虛則吐故用參附理
中湯以溫中州也

。補血生津湯

熟地三匁　麥門五ツ　附子二ツ　五味一ツ

濃煎代茶飲

主治吐血之後大渴不止兩寸脉洪關尺㳄弱此陰血暴亡臟腑失養所以津液燥結陰火上乘名曰血竭故喻嘉言云夫人之得以長養百骸以生者惟賴後天水穀之海生此津液津液結則病竭則死矣故治病而不知救人之津液真庸工也余按血與津液皆水類也每見陰虛人則血少形体黑瘦而多渴頻飲書云渴病每生於血虛此方用生脉去參加熟附然參乃生津止渴之要藥而卽去之何也端由兩寸脉洪陰

火上炎故補氣之藥品當避其銳用熟地者以亡血之後五液燥槁故君之以救水使大附者一路引熟地速至陰分而羣陰一心帛然制火則金生水水生血血足液充何有亢炎之患乎

○驅寒方

人參五ﾘ　白朮四ﾘ　肉桂二ﾘ　附子二ﾘ

水煎服

主治虛勞手足疼痛及膈腕痞滿惡心疼痛欲絕六脉沉微此乃內傷日久寒邪不能外達而直中陰分宜急溫以保之

余按此症之中寒邪直中陰經則裏之無陽無火不待言矣故用參附以回陽白朮固中氣使之不拔兼用桂者使以宣通而驅寒外達也

○參桂附方

人參五戔　肉桂二戔　製附二戔　水煎服

主治孕婦因積勞少食受寒四肢厥冷喘急大作額汗如雨尺脉沉微欲脫蓋此等重母不重子未有母亡而子能活者所謂應犯而犯似乎無犯只要爲得病情投藥自當若當

危急之際拘以常法泥以古方經權不知其變者未有不誤事也

余按此症喘而受寒此裏陽虚弱寒邪得以乘虚而入法當温補故用參附以急救元陽然逐寒者非散不能故用以肉桂之速達

○五味理中湯

人參　白朮　附子　乾姜

炙草　五味　水煎服隨輕重用

主治妊娠三月大吐水穀藥餌俱不受六脉沉微宜服吐止

又按胎門正藥

余按經云諸嘔逆上冲皆屬於火然有寔火虛火之辨寔火者卽壯火挾三焦五臟之火可清可降可伐虛火者乃無形之火陰火也或補土以藏陽或滋陰以退火或引火以歸源此則由於土虛不能藏納元陽故以理中調中卅佐以五味之斂納

○救脫方

人參一兩　白朮五錢　附子三錢　水煎服

主治四肢厥冷額汗如珠元陽欲脫等症

余按脫症乃是亡陽之候也雖四肢已厥而身猶熱或煩燥

者此陽浮于表也凡一毫陰藥不可用蓋分陽未盡則不死

且陽主生陰主殺故以參附挽回元氣於無何有之鄉猶疑

參性和平又用白朮保救胃氣胃爲元陽之子祖氣有根而

不拔書云八味雖有桂附終爲佐使之功若此寺節則補腎不若補脾也

○補眞陰清假熱方

熟地六リ　丹皮三リ　麥門生用三リ　牛膝二リ

附子六分　水煎服

主治麻疹發熱纔一日而面上盡沒神氣困極蛔虫出口數

日不食上喘下瀉唇口焦裂五心煩熱手足指尖皆冷脉則細數無倫兩尺甚弱

余按此症俗常以爲疹毒歸臟熱極於胃故蛔虫出口殊不知病者之神氣欲脱五臟俱困脾虚不能健運何能消納水穀穀食久虚虫無所食又兼津液枯槁虚火燂燥臟腑燥熱虫難安其身而出也况諸痳疹多由内傷失調脾虚胃又不足是以榮血逆行陰逼於外耳凡血盛氣壯則色紅而掀發血虚氣弱則色白而隱伏何有毒之輕重乎面上退縮者陽

虛不能升發也有何毒之內攻乎喘促者氣短難續也唇焦

者脾液耗竭也五心煩熱者陰虧火爍也泄瀉不食者眞火

衰而脾不運也寸關細數尺弱者氣血虛而虛火上浮不能

藏源若非陰中補火使龍雷斂納存此一點元陽何以爲救

生活命之本况急則治其標緩則治其本今日之急本氣欲

脫倘不知急仍謂麻疹餘毒解利清托爲事恐神氣先盡於

麻疹之前矣况　大癰腫毒皆氣血留結而成形因何臟之

虛而發現於其部皆本身氣血之病也豈眞有何毒入於氣

血之中而爲害乎安可以俗尚解毒之方而委人性命於危哉重

滋金壯水方

熟地二兩　麥門五錢生用　人參八錢　濃煎代茶飲

主治金水枯槁龍火上炎燥渴異常

余按此症用參麥治渴用熟地治燥誠爲對症之妙品然取生麥而去五味者何也蓋五味同牛膝則斂納於下同參麥則斂肺氣於上今龍火上炎則肺氣已受其害若得五味更能斂火于金豈非引賊入家之遺患乎

補精方

羊肉煎湯四升　生芪四兩　歸身二錢　金銀二錢

升麻四分蜜酒炒　右先取羊肉先煎八後藥姜棗煎服

主治癰疽潰後氣血津液衰竭經曰精不足者補之以味

余按羊肉湯以味先煎主藥也黄芪生肌當歸補血金銀升

麻治瘡毒姜棗和之故得共劑成功

五臓兼滋膏

嫩芪四兩蜜炒　歸身三兩酒炒　熟地六兩　白术四兩土炒

棗仁炒五两　遠志甘草水焙二两　麥門米炒二两　白芍酒炒二两四

杜仲酒炒三两　牛膝三两酒蒸焙　人參五两　茯苓三两

茯神三两　蓮子三斤去心衣清水二十碗煮去蓮入藥煎取頭汁熬膏入參苓

神末為丸臨睡白湯送下四乂或細嚼津液送下亦可

主養心育脾和肝滋腎清肺補榮調衛求嗣最宜諸虛症

並效辦論詳在錦囊內

余按此方要五臟之精花輸歸于腎故合氣血為隊余嘗用

之治後天諸虛症最能取效

○養心清肺和肝膏　主治癇症

棗仁四両　歸身三両　熟地八両　金石斛二両去蘆

白芍二両蜜炒　麥門三両　牛必三両　遠志三両

蓮子一斤煎取汁三十餘碗入前藥在內煎取頭末二汁去滓濃膏滋入後藥收成丸

人參三両　茯苓三両　茯神三両共細末入前膏收

成大丸每丸重四ㄌ午食遠白湯化下一丸

余按癇症發作由氣因火上痰因火升故痰涎壅盛塞者雖

吐之下之虛則補水以清水泛之痰水旺木生以安相火之

佐使宣陰上奉以養心流溢源竟以補肺故此方之用全在

心肝肺以建功耳

○峻補五臟榮衛膏

人參三两紙焙　白朮四两隔乳汁炒　熟地八两焙香　棗仁三两炒

歸身三两酒炒　白芍二两酒炒　遠志一两蜜半　牛膝二两酒炒

麥門二两米炒　五味二两二ソ蜜炒　茯神二两四ソ焙　肉桂八ソ

共爲末入後膏爲丸

後膏方

熟地六两搗　棗仁二两研　白朮四两乳炒　歸身一两

白芍一两半　茯神一两四钱　遠志一两半　牛膝一两酒浸晒乾

五味二两搗　麥門二两米炒　肉桂八钱去皮

蓮子二斤去心衣入清水煎取頭次二汁去蓮子入前藥又再煎取頭次二汁去滓熬成膏入上末藥鍊丸每早晚食遠龍眼湯下

主治諸虛百損共十全丸間服尤妙

余按此方雖五臟峻補而尤專功於脾脾爲後天化源非水穀無以成形體之壯也故首重焉

○培養榮衛膏　主治勞咳

熟地十二兩　生地六兩搗　麥門五兩　天門三兩
丹皮四兩胃虛減二兩　白芍生二兩肝脉大加一兩　薏苡六兩　地骨二兩
牛膝三兩尺洪寸弱加一兩　清水煎三次取汁去滓熬膏入後藥收
成大丸　人參二兩六ソ微炒　茯苓三兩　茯神二兩
明阿膠蛤粉炒成珠三兩　白蜜三兩入前膏煉丸每丸重四五ソ空
心白湯化服一丸於服八味丸之後如尺脉尚弦數口乾咽
燥者此水火未得相配也當令每日以熟地二三兩麥門四
五ソ濃煎數碗代茶浩飲

余按此方惟以滋金補水退陽歛火爲用夫勞者係是精枯血竭之症故加以茶飲如久旱逢甘雨也

〇甘露神膏

甘露於青草上張布法收一鍾 人參一リ至五リ煎汁四汁合一處重湯濃熬

人乳一鍾 蜂蜜大半鍾

治一切燥熱咳嗽吐血乾癆等症神效

余按此症五液涸竭精血焦枯體似乾柴肌如甲錯少無潤澤之神資故以甘露蜂蜜人乳皆甘潤之水以灌溉之熱水

爲一類純陰則陽無以生必矣故用人參補氣以驅陽之旦
參雖氣藥兼有補陰之功乃能順坤柔之德

○癆咳膏滋方

熟地十兩　生地五兩　薏仁六兩　丹參
牛膝各三兩　麥門四兩　地骨　紫菀
欵冬花各二兩　炭姜六リ　白蜜六兩另煎
以清水煎取頭次二汁去滓煉膏入後藥弁煉蜜收貯
茯苓二兩研　川貝母二兩四リ研　共和入前膏每食後遠

白湯化服五丿日三服

余按熟地補陰生地凉血丹參有四物之功丹皮清雷火薏苡牛膝斂降骨皮治骨蒸紫菀款冬治肝熱麥冬補肺茯苓貝母清痰合之故可治虛勞咳嗽

。振起元氣虛陷膏

黄芪一斤以防風三丬酒熔取汁伴芪晒乾炒白朮二十丬炒熟附四丬

三味煎汁熬膏以人參六丬細末收成細丸食遠白湯丿服四

○治氣逆上攻或寺氣墜下迫二陰皆重失氣甚頻大便難

又不快脉細數無力此中氣虛極陽氣不能外達伏於內而陷於下宜先投八味丸加鹿茸骨脂五味後以此膏間服蓋芪能升托朮能固中參能補虛附能通徹四味共劑何虛陷者不爲振起發生

余按凡陽氣下陷無如補中之有升柴提起虛陽於九地之下以升于九天之上捨之而用參芪朮附則左廷右斡之用憑何爲力乎旨哉先師處症立方神效無比蓋虛極者毫不可升若升之必有力窮之勢難杜其走洩且參芪附皆陽藥

也陽本升以之補氣氣壯則能升此升自升耳何必左右提挈而後可以升哉且此方參附也朮附也芪附也諄諄以固中固陽挽脫合而用之豈以升柴專於小巧之徒爲比哉

○消滯秘方

川黄連　條芩　白芍生用　山查各一錢二分

枳殼麯炒　厚樸姜汁炒　檳榔各二分　當歸

甘草　地榆各五分　青皮　紅花各二分

桃仁十粒炒研　南木香二分　水煎服

主治痢疾或紅或白或赤白相雜裹急後重身熱腹痛惡食
一或單白無赤者去地榆桃仁加陳皮去白四分木香二分一滯澁甚者加大黄二錢酒炒服一
二劑仍除之此方用之於三五日內神效或旬日內亦效惟
十日半月外則當加減之其法詳具于后

川連　條芩　白芍酒炒各六分生用各四分
山查一錢　製樸　陳皮　青皮
檳榔各四分　炙草三分　生草二分　當歸五分
桃仁泥六分　紅花三分　南木香八分　水煎服

一如延至月餘覺脾滑而虛弱者用

條芩　黃連　白芍各六 製陳皮

厚樸　南木香各三 地榆四 醋炒 紅花二

當歸　人參　白朮　炙草各五

以上三方有胎婦人服之去紅花桃仁梹榔以上方法隨用輒效間有不效者其初必投參朮補劑太早補塞邪氣在內久而正氣已虛邪氣猶盛纏綿不已欲澁之則助邪清而疎之則愈滑遂至於不可救療雖有奇方無如之何則初投溫

補發之也戒之戒之古今治痢者皆曰熱則清之寒則溫之初起熱盛則下之有表症則汗之小便赤澁則分利之此五者舉世信用以爲規矩準繩之不可易也予有獨見以爲五者惟清熱一法無忌其四法則犯此四大忌必不可用也一曰忌溫補痢之爲病由濕熱蘊積滯于腸胃之中宜清邪熱導滯氣行滯血則其病速除若用參朮等溫補則熱愈盛氣愈滯久之正氣虛邪氣盛至於不可救者初投溫補之禍也二曰忌大下痢因邪熱膠滯積累而成病與溝渠壅塞相似惟用藥磨刮疎通則愈若用承氣大下之譬如以清水蕩壅塞之渠壅塞必不可去也徒傷胃氣損元氣而已正氣偏損而邪氣不除彊壯者猶可怯弱者必危矣三曰忌發汗痛甚身發寒熱頭痛目眩者此非外感乃内毒薰蒸自内及外此太

實症實非表邪也若發汗則耗其正氣而邪氣得以肆其鋒鏑燥熱愈熾熱邪表虛於外邪熾於內鮮不斃矣四曰忌發利小便便利者治水瀉之良法也以治痢則乖痢因邪熱膠滯津液枯澁而成若用五苓等劑分利其水則津液愈枯澁滯愈甚遂至纏綿不愈則利便之爲害矣若清熱導滯則痢自愈而小便自利安用分利爲哉夫痢爲險惡之症生死所關最重不惟寺醫治之失宜而古今治法千家多未得其要是以不能速收全效今立方以何爲奇不泥成方故奇也以何爲妙不膠成說故妙也故能以數劑而取效于數日後初起者或以一二劑而能取效于一二日內此所以奇妙也然其藥品亦不外乎常識者愼無忽之余於此一

症畏其險惡用心調治二十餘年百試百驗頗有妙語既而身自患之試驗益精然後能破諸家之迷障而爲奇妙之方論今列而布之以救斯民之危苦而登之壽域也

○猪脂膏

主治腫硬堅實不腫不疼之症

猪脂搗爛肉 桂末和　葱頭　食塩　杵均厚敷患處

余按治無名腫毒以猪脂治血肉同氣相求易於相應葱能透竅塩可軟堅桂能鬆動血分油能浸潤皮膚故可合用

○加味太乙膏

真麻油二十四両煎八乱髮以桃柳枝攪不住手令髮溶化再八萆麻子煎枯

亂髮一團潤黑者佳八油煎化　萆麻子二百粒去殼搗碎八油煎枯

以上煎至麻枯髮化八後藥　生地四両切細

玄參　大黃　當歸各三両　赤芍

白芷　肉桂各二両　煎至藥色焦枯濾去滓慢火熬濃方八後四味收之軟硬得所滴水成珠爲度

夏天宜暑老些冬天宜暑嫩些　滴乳香二両瓦上焙去油研細　眞沒藥二両火焙研細

明松香一斤搗碎八葱管內線縛蔽碗內隔湯蒸化取出令定去葱研細八両先下次下二両

真黄丹二十两其色黄為真水飛晒乾炒黑色十两若色紅者乃東丹不用

四味收入成膏貯磁器中定用定攤神效不可盡述

主治一切腫毒已未潰爛跌撲損傷風濕氣痛等症

余按此方均内服外貼未免其功不專先師建此方專為外貼而其拔毒外治之功效更勝也

風氣跌撲膏藥神方

黑髮一大團　蓖麻子二百粒　猪脂熬油二斤八两　麻油八两

以上先熬至髮化麻枯再入後藥

葳靈僊三两　熟地三两　歸身　獨活各一两半

金銀二两　白芷一两　川烏　草烏各大片

以上熬至藥色焦枯去滓細絹濾過慢火再熬不住手

攪入後藥收之　明松香水煎三次去滓落化夏布濾過六两

乳香一两焙研　沒藥一两研末　黃丹八两炒燥　麝香三分

先將松香黃丹下後煉至軟硬得中滴水成珠爲度離

火再下乳沒射三味打均定用定攤

保嬰至寶錠子

陳皮留白一兩　萊菔子用紅潤者洗淨晒乾炒一兩　三稜

莪朮　麥芽　厚樸姜製　蒼朮

香附　草蔻　枳實一兩並炒各　山查半一兩

神曲一兩　右各爲末神曲糊凡作錠每錠倣三四

分每歲磨服半錠不論何病俱用生姜湯下此方留

傳甚久先師秘授發心慈濟流教此方得者珍之治

小兒風痰發熱驚癇吐瀉積滯等症其效無窮

○保胎神效凡

白朮一兩米泔浸黃土炒　白茯苓二兩　條芩酒炒　香附童便浸炒

玄胡炒　紅花酒炒　益母炒各一兩　沒藥炒去油三ソ

右各爲末蜜丸如梧子大每日空心服七丸不可因其丸小加至七丸之外凡胎孕不安者一日可服四五次安則照常如遇腹痛腰痠或作脹墜卽宜服之如受胎三五月常墜者須先一月服可保無虞甚至見紅欲墜者急服此丸亦能保留謹戒忿怒勞力忌食煎炒椒辣動氣冷物切忌房事每要一料可保胎元凡服此丸無不神效

○觀音救苦丹

射香リ一　硃砂リ二　硫黄リ三各研末

先將硫黄化開次入硃射同化須入器內候乾再研末隔火化開候乾切作如粞如米大貯器內勿令出氣聽用此方秘授神效治一切風寒濕氣留住疼痛手足踡攣小兒偏搐口眼喎斜婦人心腹瘖塊疼痛不問年深日久凡用藥寺重者用如米粒大輕者用如米粞大將藥置患處以燈火點著候其火滅連灰壓於痾上立見痊愈如常者只須一

壯不必復灸若患處豁大連排數壯一起灸之且灸寺不甚熱痛灸後釜不潰膿一茶之頃痼疾如失先師秘授眞神方也因思擠之一寺不若澤之後世識者珍之

○吹喉藥方

青銅 刂三　人中白 刂煅一　西牛黃 刂一　大氷片 刂二

射香 刂一　共研末吹之

神治咽喉腐爛成穴

○圍毒方

大黃二刄　芙蓉葉　赤芍各一刄　白芨

白蘝各五リ　爲末用鷄子青調敷毒四圍內用解毒托藥

主治諸般癰毒收毒氣不許散漫

○洗眼神方

黃連三リ　杏仁八粒　粉草六分　胆礬一リ

青銅三リ　大棗一リ

各味秤準不可差毫釐二煎其和勻用棉花收之乘熱擦眼

以喉中作味爲度餘者晒乾可藏數十年此料可活數十人

不拘風火眼頻洗立效老者眼昏花流滲洗之仍如少年

○頰腫齒痛神方

石羔三リ煆　姜活二リ　製附一リ　細辛八分

水煎食前服

治尺脉無力虛火上攻寒束內熱頰腫齒痛等症

○心痛神方

用燒鐵浮起白沫如枯礬狀者研極細白湯調服二分未止再服永不再發

○鷄肝散秘方

明雄黃一リ半研　桑白皮五リ焙搗　鷄內金一个瓦上炙乾搗碎

共末將藥浸鷄肝上酒濃𤆵熟去藥食肝忌鉄器

神治疳積壞眼白翳一服即紅二服即退真是神方

○鷄肝散　治疳積初起紅障

雄黃一リ　石羔一リ煅

爲末雄鷄肝一箇酒濃𤆵熟藥錢餘食之

○三氣飲下　治白虎歷節風手足痛苦

當歸　熟地　白芍　人參

白朮　枸杞　牛膝　杜仲

續斷　附子　水煎服

一如頭眩加細辛少許　一如虛寒加肉桂磨

○淋洗囊腫神方上

葱白連頭二十根不去土　川椒一両　麥芽一両

地膚子一両　四味煎湯淋洗囊上良久次日再洗以消爲度

○秘授西洋酒藥方

紅荳蔻　白荳蔻　肉荳蔻去油売　高艮姜七片醋

肉桂　公丁香各研净末

先用上白糖霜四两水一飯鉢入銅鍋內蒸煎化再入鷄子青二个煎十餘沸入乾燒酒一斤離火將置穩便處入堝內攪均以火照著燒酒片刻隨即蓋鍋火絶用紗羅濾去渣入磁堺內用冷水去火毒隨量大小飲之

神治隔食翻胃一切痢疾水穀不納等症極有神效

○治乳癰神方

金銀花二两　蒲公英五两　草節三钱　没藥二钱

歸尾六リ　用水三碗煎至一碗食後服

○口瘡吹藥神方

氷片二分　人中白二リ　射香一分　青銅三リ半

甚者加牛黄一分共細末冷茶洗淨口吹少許候痰涎

流盡再吹三次卽愈

○猪肝散

穀精草四分　石羔醋煆六分　紫口蛤蜊煆一リ

右爲細末用不見水猪肝竹刀開割將藥入內線札

煮之去藥食肝

〇治瘧神方

即二陳加乾姜附子草菓常山熱多加柴胡黃芩

又一方四君合二陳加檳榔草菓常山

又一方用上甜肉桂去皮少餘瘧將作寺圓圖合口中

則寒退熱輕神思清爽而愈真神方也

〇擦牙至寶散

雄鼠骨用一部八月大好蓮毛用紙包七層再用稻草黃泥封用穀糠煨熟去肉揉出全骨用油

没石子雌雄一對 酒熖火焙 炙焚細研 入後藥

骨碎補五リ去毛蜜炒 沉香一リ半

各味爲末同入鼠骨合在一處拌勻用銀盃或鉛盃盛之每早擦牙漱嚥良久牙齒動搖者仍可堅固不動者永保甚至少年有去牙一二在三年內者更可復生頗小而白久則如故妙不可言

心得神方卷終 靈山後學光義敬寫

新鐫海上醫宗心領全帙卷之四十六

小引

素問無方，非隱方也，蓋欲翻造化之玄機，而不設方耳。自漢以来，名賢迭出，方法繁興，亦不過倣此病而立此方，故曰方者倣也。奈古今異轍，彊弱異禀，風土異宜，貴賤異境，老少異軀，新久異治，内外異因，那能以古方一定之成規，強合今人無窮之病症。嗟乎，古方之神良者，補水無如六味，補火無如八味，養血則有四物，補氣則有四君，氣血兩虛則八珍十全，內外交感。則九味五積培後天生化之源。補中益氣助後天生化之用。飧榮歸脾。補中州則有參附理中。博濟之意。不爲不備矣。調元氣則有滋陰括毒。潤瀉之工。不爲不周矣。故余臨症。得此以爲印定梯楷。且增損出入用之。然亦有難名之症。難狀之形。不得不焦心困慮。勉強別出自己方法。以供酬應。每有所得難症。去病甚速之方者。因輯其方以爲一家符軸。額之曰做倣新方。雖不敢備前賢之未備。亦留我一片苦心於求道術耳。是引。

黎氏別號懶翁原引

傚傚新方卷

目次

滋陰降火方　二龍飲　獨龍飲
安中散　補陰接陽方　補陽接陰方
青金膏　潤肌膏　保陰方
補脾陰煎　調元救本湯

右該二十九方目

故破斷方卷　芳名　二

定安總督大人桂坪阮仲合助銀拾兩　塤河内金縷

義興府知府陶仲統題助鉛錢五十貫

春長府知府黎琛題助銀貳兩　塤廣治省

南定省倉盐臨官吳春定題助銀拾兩

南定省倉監主典題助銀拾兩

南真縣知縣丁日新題助并勸示精銀三十兩綸助鉛錢四十貫　塤乂安省

南策府知府嚴題助銀拾兩

河内省御史吳德題助銀貳兩

河内省舉人裴春仙題助葩銀壹元

慈山府知府范富隣題助鉛錢叁拾貫

原河静按察使大人楊題助鉛錢五拾貫　瓊仙迮充念

河内調護使題助鉛錢拾貫　阮春枝助鉛錢拾貫

良材縣提吏楊近題助鉛錢貳拾貫

嘉林通吏阮輝文題助鉛錢拾貫

海陽省列憲大人題助鉛錢肆拾貫

攝辦嘉林縣黎題助鉛錢拾貫

傚傚新方卷

海上懶翁黎氏纂輯

後學唐鄘武春軒奉藝

○培土固中方

白朮二兩（氣虛黃土炒，血虛乳汁浸炒）　熟地一兩（脾陰虛仍用，陽虛炒乾，有痰姜汁炒）

甘草半兩（肥潤者，蜜浸炙乾）　乾姜二錢（炒黑）　右水煎服

此方乃余撥機而發，觸類旁通，藥性四味，補土之陰陽，無用不當，無在不宜，誠金玉君子者。四君湯可稱為補陽四君子。

此方可稱爲補陰四君子

主治脾陰偏損胃陽獨亢與過食炙煿之味香燥之品而致病或能食而不化或胃口乾枯不能納食或嘔吐泄瀉與脾虛不能藏納元氣而發熱者胃熱津液乾枯漸成翻胃關格等症並見其功

增損式

一中寒（甚泄瀉去熱加茯苓）大附　一嘔吐乃（氣虛火逆冲之）症加炒薑

一氣虛（危急厥逆）去[illegible]草加參附　一濁氣（在上虛痞虛脹）加肉桂[illegible]

一嘔吐不止加烏梅　　一傷食脾虛不運加砂仁大附

一久痢加白芍升麻　　一久瀉不止加肉豆蔻扁豆茯苓升麻

一胃熱液乾作渴者加麥味　　一血虛胃口乾枯加連綿在胃脘加歸芍桂

一脾元虛損陰火上乘去草加味必附

按經云土平曰備化不及曰卑監太過曰壞埠可以名義如明鑑而顧思焉蓋土具坤柔之德爲萬物生發之源故曰坤德或慚當補土以培其卑監土旺於四季從火寄生故曰補土又宜從火補之然補火又當從土之陰陽補之陽明胃土

陽土也隨少陰心火而生故補胃土者補心火也太陰脾土
陰土也隨少陽相火而生故補脾土者補相火也先哲立方
以歸脾湯補君火之外家以生胃土八味丸補相火以生脾
土誠萬世不易之秘奧東垣立補中益氣湯用升柴以敷發
榮之春令誠脾胃家之聖藥昧者不知此理混用於陰虛之
症去升柴以爲穩當是不知真陽下陷於九地則萬物不能
發榮或用之而有畏其升更入牛膝杜仲苡仁之類亦不知
補中以升爲降清陽升則濁陰降此自然之理何若是拘持

兩端而含糊不一豈真見哉且脾胃之在人身猶兵家之有餉道餉道一絕萬衆立散脾胃一敗百藥難施經曰脾胃爲水穀之海爲後天化育之機脾家病則十二經皆病又曰五臟稟受於胃曰衛氣曰營氣曰元氣曰宗氣皆胃氣之別名也余每臨於既脫之症雖投以參附然恐參之功緩又重用白术補住中氣以培化育遠生之機使元氣有根則脫勢不能推去乃屢得挽回參霖之間精思而得之以意成方方名培土專主治後天脾胃之用也故用白术之苦溫爲脾家之

正藥補脾之陽以爲君用熟地甘温至純至靜補脾之陰以爲臣人知峻補真陰只爲腎家要藥不知又爲脾家正藥本草云熟地黄者更可顧名思義地者土名也黄者土色也熟得甘温是脾之所愛人知脾喜燥而惡濕香燥之品可以健脾誰知膏澤之沃土可以發育灰砂之燥土全無生氣以何而發生也蓋胃陽主氣脾陰主血况太陰濕土全仗濕氣以爲用苟不知此徒以辛香燥熱爲助脾開胃適以致助火消陰之害遂致胃火益旺脾陰愈傷清純冲和之氣變爲燥熱[illegible]

槁譬猶天之不雨土不濕潤而生化之令不行豈可徒偏燥
熱之用哉炙草味甘溫中以爲使乾姜辛溫以助運行之力
焦能中守從陽藥之白术則能補土之陽從陰藥之熟地則
能補土之陰故以爲佐或問四君湯乃古哲名方爲脾家之
聖藥今欲培土而不用參苓何也余曰四君誠脾家之聖藥
乃後天陽氣之所必需後天陽虛宜補胃氣故先哲立方用
人參以爲君以峻補真元不足氣壯而胃自開氣和而脾自
化用白术以爲臣以健脾消穀以爲脾家諸虛之聖藥用茯

苓以爲佐者開胃厚腸更能佐參朮以滲脾肺之濕以伐肝
腎之邪使木不尅土水不𧺫土用炙草以爲使温中健脾更
令諸藥中緩脾家得受其益此係專重後天陽氣而立方也
今余所製培土固中重在脾陰偏損而欲抑胃陽獨亢故重
用熟地補脾之陰且令白朮不燥不用參者恐於胃火有礙
也人參雖稱退虚火之聖藥然胃火乃亢陽之火也未必能退去蓋
苓者乃不去中焦之潤澤使土具坤柔之德以成化物之功
且淡滲傷陰血家氷炭此余之淺陋若斯豈敢以爲真之見

無憑之聞慢將上古良方沽高尚異而自穿鑿乎

滋水潤燥方

熟地二兩　天門　麥門各六　人乳一大碗

大附二　五味二十粒　右水煎將熟寺入人乳再剪數沸濾凈服

主治先天水衰精竭後天陰虚血少胸中悗憹乾痛自咽門至肛門腸胃中痛如竹刀刮去死而復甦傍通之可治大腸亡血燥結及一切焦枯乾涸之症與傷寒蒸熱水衰血涸屢散而汗不出者投之立解此汗出於血之妙雲騰致雨之義

增損式

一煩熱加龜膠　一不寐加棗仁

一大便秘加當歸蓯蓉　一熱鬱腹滿加牛必

一身熱大汗加阿膠　一身寒自汗加參朮芪去天門人乳

按陰陽者虛名也水火者寔體也氣血者稟於陰陽而尤係於水火故凡形體黑瘦症見枯槁脉見浮數果投補血藥而不奏功此不知血之根本也書云後天之陰虛補心脉先天之陰虛補腎水景岳云腎主五液而謂血不屬腎吾不信也

王太僕曰腎水衰水不生血而生痰此可見真水之爲血之
母益信也凡陰虛則陽乘之故爲假熱之症狀雖枯槁然清
降之氣味絕不可近只惟壯其源而潤其流則可也故後天
陰虛可曰滋陰以降火此滋其陰而火自降先天水虛可曰
滋水以潤燥此壯水主而制陽光症見天淵治宜分別余從
妹形體黑瘦水衰血枯偶患疝痛因偏用行氣香燥之藥疝
痛漸止乃見自心間至穀道腸胃中痛如竹刀刮去死而復
甦如此數次凡滋補陰分如六味救陰兩儀膏斑龍之類遍

撥無效勢已十分危脫余忖曰枯槁之甚譬猶久旱非大雨滂沱不能速潤炎亢之酷精思而得之重用熟地峻補眞陰精血乃天一所生之水乙癸同源之義以爲君用天門助其元陰潤五臟調燥結功專滋水濟金用麥門益精彊陰潤經益血收金壯水並以爲臣用人乳補五臟潤腸胃滋陰益陽灌溉枯涸以人補人之要藥詩云用田若是乾涸者禁下重宜潤枯杇稱偃家酒信非虛褒以爲佐然一派純陰之品豈無壅滯之虞況無陽則陰無以生又用大附以爲少陰向導

歛陰濕陰寒引補血藥以扶不足之眞陰以爲使更恐走而不守更入五味斂納以盈制之且生脉斂肺金而滋水生津液而彊陰功專納氣藏元亦資一臂使大附一心向陰而制火以同隊於資潤之需鼓舞群陰以通壅滯以建奇功果一劑而痊神妙無比

統藏方

當歸五ゞ酒洗爲君　熟地三ゞ炒乾爲臣　蓮肉三ゞ炒爲臣　白芍三ゞ蜜炒爲臣

人參一リ半炒　茯神一ゞ半　龜膠二リ半並爲佐　丹參酒洗一ゞ二

牡丹一ㄣ酒洗炒　阿膠一ㄣ炒珠　五味蜜水炒十五粒　加燈心煎服

主治眞陰水衰後天血虛蒸熱煩燥自汗盜汗徹夜不寐雜日間少睡氣短食少各症

按方名統藏取重在心能統血乾則不接肝能藏血虛亦不斂欲補後天陰虛舍此奚適舍脾而不與者以土得火生木不夌土則土之備化已在其中故不言脾經曰陰在內陽之守也又曰卧不安者血不歸肝衛氣不能入於陰也又曰陽浮者熱自發陰弱者汗自出景岳云古以自汗屬陽虛盜汗

屬陰虛然未必也但其有火則焚爍真陰無火則衰氣不固

王太僕云盜汗不止者有火則陰不安無火則陽不能固

也可知寐與不寐本由血之强弱盜汗自汗責於火之有無

余治一症素患水衰虛症蜂起愈後因遇哀慟病復日夜蒸

熱自汗淫膩日間倘得少睡則盜汗如雨徹夜不能合眼煩

燥不寧精神很狽食少氣短倦怠漸成脫勢余投以歸脾去

木香加牡丹柴胡梔心數劑如故余忖曰黃芪以斂汗爲能

者乃補衛克氣之功也酸棗生治多眠炒治不眠以膽寔則

木尅土而多不眠故生用以瀉木脾虛用炒以補虛益能安神定志而得寐今以此症對此藥南轅北轍如水投石若不別有見識何能杜此危機蓋陽不守陰不使而腠理不固發泄若此且汗者心之液血之異名也心虛則血不能養神肝虛則血不能養志故徹夜不能眠日間陽分始得少睡者繇得歇也心虛則精神很狽脾虛則食少倦怠且水衰而蒸熱煩燥故煩出於心燥出於腎熱則傷氣氣虛則息短故用臺虵補脾陰以生血當歸補心陰以生血白芍歛肝陰鐵稱血

人參既能補氣以安神又爲氣中之血藥丹參古稱有四物之功用之養陰生血蓮肉清心補脾茯神安神定志龜膠滋至陰退蒸熱使陰静而生血牡丹清東方之雷火補血生血凉血行血阿膠潤肺燥養肝陰補血生血之聖藥五味功專收斂以　　助統藏　　則心肝亦得賴也燈心退浮熱且古人並友滋陰藥中宜用一二味滲利以導其滯合而用之力叶氣和佐使相須同隊爭先各逞已力果覆杯一如響應雖出於愴悴應酬黽勉以圖活人之計然意淺效深存之爲大林

增一葉耳

○和肝溫腎方

當歸三リ　白芍二リ半　白朮一リ蜜炒　柴胡一リ

小茴三分　烏藥五分炒　橘核七分去皮炒　吳茱七分蜜酒炒

獨活一リ　梔子一リ炒黑　川芎八分　牡丹一リ

水煎溫服

主治陰虛水衰木失所養肝氣亢甚症見癩病畢凡太小扁不可忍

按病門內經有七疝之名方書又有五臟之疝症形[illegible]

丹溪謂疝主肝經與腎絶無相干亦是一偏之說然求其要者總不外肝腎二家爲之本濕與寒熱三氣爲之標蓋疝乃筋病人身之筋何處不屬于肝肝藏血故經曰任病爲七疝之源畢凡名爲外腎素問云腎脉生病從小腹冲心而痛不得前後爲冲疝則病病有本於腎寒則多痛熱則多縱濕則多腫墜然未有不内因氣結熱鬱于中外因寒濕欝束於表治者以滲濕爲主寒則温之熱則清之爲捷要之法且肝經有病必推化源於腎爲乙癸同源之義余臨一症由真陰水

衰木失所養血不養筋而疝痛拘攣投香燥之品則陰愈虧而痛愈甚偏柔潤之品則氣愈滯而腫墜愈甚故用當歸和血養血舒筋滋榮爲君白芍斂肝氣和肝血白朮破結祛濕痺寒濕熱濕皆宜從血藥則生血益以爲臣川芎散寒痺舒筋攣行氣滯發之達之以疎木家之鬱牡丹養血和血凉血行血清東方之龍火柴胡瀉肝火平肝氣又散諸經氣凝血聚並以爲佐烏藥走膀胱諸冷氣作疼小茴香溫腎治腎勞疝氣小腸氣攣疼橘核去膀胱之滯痛吳茱散膀胱之冷氣

陰囊之痛痛行肝經氣分然性本燥陰虛非所宜更用蜜浸炒以緩之獨活專治下部濕痺梔子清內鬱之熱使從小便下降並以爲使果一劑而諸症悉平繼以加減六味治之永不復發因錄之以備本虛邪寔之益用

○補陰歛陽安神方

白芍五ᄼ　丹參一ᄼ半　熟地一兩

蓮肉一ᄼ半　麥門二ᄼ　茯神二ᄼ　遠志一ᄼ

膠棗三枚　大附八分　五味一ᄼ　鹿膠三ᄼ

水煎服有浮熱加燈心十根

主治陰虛不能斂陽陽虛上浮上熱下寒或身熱如火手足冷如氷神昏不省譫妄亂語煩燥乾渴頭面濆汗勢在危脫等症

按經云陰爲陽基又曰陰在內陽之守也陽在外陰之使也又曰陽性本上升得陰維而不能上升陰性本下降得陽維而不能下降陽之中不可無陰陰之中不可無陽故曰陰平陽秘精神乃治易曰地氣上升天氣下降而爲泰故曰陰精上奉陽氣下交水上火下而爲旣濟此皆陰陽不相離之道也余臨一症陰虛于下不能斂陽孤陽浮越于上龍火猖獗

心君不能主令乃見神昏譫語額汗諸症若此危機而峻用陽藥則恐陰先亡若純用陰藥則又礙於脫勢寧以陰陽相須氣味和平更加意於陰藥使陰彊則斂陽陽斂則神藏而狂妄定乃重用熟地純靜重濁峻補真陰爲君白芍補血和血收斂陽氣爲臣丹參益氣養陰有四物之功嘉其補陰也茯神有守之義故能安神而守舍遠志補腎益精而能養心神蓮肉清心而補心固精神通血脈使心腎能安麥門補肺清心寧血而止渴祛煩五味既能納氣藏源則游越之神魂

亦賴之而鎮定又能除煩解渴則耗散之肺金亦資之而膏潤鹿膠乃精血有情之品峻補左腎精血並以爲佐大附可陰可陽同氣藥則補氣同血藥則補血以爲使果投之一劑如響應不失方淺效深之至理

○升清降濁方

肉蓯蓉五ノ　白芍二リ生用　人參二ノ生用　茯苓八分

澤瀉八分　沉香三分另磨　吳茱八分鹽炒　升麻一リ半酒炒

葛根五分酒炒　煨姜三片水煎服

主治陰虛嗔脹屢投辛香行氣而不效者此方神效

按經曰濁陰在上則生嗔脹又曰飲食不節起居不寺者陰受之仲景用八味丸益火之源以消陰翳亦顧盼此義也蓋凡氣脹虛痞之類昧者以辛香散氣導滯之品投之而益脹者不究此義也脾喜燥而惡濕胃又喜凉而惡熱前哲有補陰之秘旨人所罕知蓋辛香則散氣燥血而津液枯胃火益亢脾陰愈乏則中虛之假象誰其知之余從妹患此從古人補中以升爲降六味以降爲升畧已遍嘗終無寸達展轉

求之乃製此方以蓯蓉峻補精血引群陰下趨浸潤枯燥爲君白芍補血斂陰人参大補元氣兼滋陰血爲臣茯苓澤瀉滲淡使陰從陽下趨爲佐沉香升降真氣呉茱下氣最捷升麻引清氣上升葛根升胃中清氣降中能升升中能降並以爲使覆杯果見陽從嗳氣而升陰從尿氣而降假象清而氣息調飲食納而脾胃安因存之以備胥見

○峻補精血膏

熟地三斤補腎爲君　人参一斤米炒爲臣　枸杞一斤爲臣　鹿膠一斤爲臣

肉桂二
兩去皮散未通調血脉鼓舞羣陰收元陽扶脾胃爲使

右將熟地枸杞人參各別煎成膏混入淨砂堝內煎成數沸加白蜜一斤鹿膠攪匀始入肉桂末調匀取起入磁內封固每服數匙空心含化和津嚥下

主治先後天精血虧損五內虛羸百骨不運金枯水竭顏色憔悴形體瘦敗飲食不進臟腑陰火蒸蒸小便頻數凡五劳七傷諸症每有回天之力此方陰中有陽陽中有陰氣血兼用投無不應誠爲填虛補損之聖藥

○平肝氣和肝血方

生地八三　熟地八二　當歸八二　白芍八二

丹參一リ半　山茱八一　棗仁一リ生用　柴胡一リ半

吳茱一リ黃連浸炒　薄桂七分　丹皮一リ二酒浸　水煎温服

主治陰虛血損肝經脇痛布息難不能轉側與風熱上攻頭昏目痛等症

增損式

一脇痛甚開節急加鈎藤麥芽　一脇痛鍵刺氣急多怒加青皮醋炒

一目赤腫痛加白蒺藜　羞明加甘菊　一多淚加防風　癢甚加白芷荊芥

按經云肝者謂有瀉無補非也蓋肝之氣不可犯而肝之血所當養也余臨症會經肝氣既亢而肝血又損遍閱方書則有平肝和肝瀉肝之分治若一方之中可平可補者實無其藥龟勦開惟以六味加柴胡白芍爲治而取效不果自此惟有隱隱爲念欲發之而未得其旨及堂兄欲攻書積勞目中赤痛靜養密室則痛悶不堪當風行動則輕清快爽余知是肝氣亢未好條達故得疎泄而輕爽若靜養則血凝聚而反

悶乃制是方生地熟地當歸山茱丹參一群陰藥補肝血白芍斂肝陰牡丹清肝雷火棗仁和肝氣柴胡瀉肝吳茱抑肝木得桂而枯以薄桂使之再劑而全愈此因觸機而發推而廣之可以通治肝之氣血姑録之以備仁術

○後天六味方

熟地両一　當歸戋五　丹參戋二酒洗　人參戋三

棗仁戋一炒熟　遠志戋一　姜棗水煎微温服

主治後天陰血衰弱形體瘦黑機膚甲錯面色萎黄毛髮焦

枯性燥多怒陰熱烝烝或午後發熱不寐盜汗煩燥慌亂或因失血致病凡症見乾枯憔悴並治

增損式

一浮熱甚加燈心　一骨烝有汗加地骨皮

一骨烝無汗加牡丹　一諸失血與動血加芎味減歸加身涼加黑姜去芎　一陰火薰烝加龜膠女貞實

一火盛加知柏玄參以退亢炎　一心煩惱懷加梔子

一虛秘加蓯蓉牛膝以潤下之　一內虛生風眼花頭眩加蓁艽川芎

一血虛生風症見手急偏枯加秦艽麻桂膝仲　一血虛兼寒氣腹痛加姜肉桂

一氣滯加醋炒香附　一行經血虛滯腹痛加芎桂紅花

一血塊加桃仁玄胡灵脂去棗仁　一血虛遍身瘡痕結壓加乾姜

一痛癢無寺加金銀荊芥玄參連翹　一陰虛於下逼陽於上兩顴紅上假熱下真寒加附桂必味

一大腸亡血大便燥結症見痞滿或失氣甚臭此內有燥糞少加炒熟大黃以微下之

一感月晏發而汗不透者加防風生姜大棗川芎葱白

一因亡血而渴者去棗仁遠志加麥門五味黃栢

按書云先天之陰虛補腎水後天之陰虛補心肝先哲仲景

用六味以補先天眞陰，丹溪製四物以助後天陰血，立齋以養榮歸脾兼補心脾肝之血，分然數方中自有分岐之宜忌，豈能一槩混投乎。余每奉其法以爲印定良模，倘逢變幻之間，不得不因所因增損之而獲效。且四物雖爲血症之必需，若吐衄之芎歸，有非納歛崩脫之際，還假獨參。血因寒而凝，生地白芍豈能温煖；血因虛而枯，辛竄川芎本非潤澤。人參養榮雖爲補榮血不足之方，參八五味陳皮更主在肺氣下降之用。歸脾本爲脾虛不能攝血，使之歸脾，然其要全在

補陽明胃家之理故可見陰藥之能補血者全仗參芪之力
陰藥之能鼓舞者必資桂附之功至於峻補精血稱爲有情
之品有如河車人乳麋鹿茸膠之類然化源更重在日用養
生之五味蓋陰藥無非純靜重濁之品使陰靜而血生謂之
養血可也謂之生血不可也昧者率以四物爲補血之通套
此不知丹溪之深旨也余苦心道衡夢寐求之理外之精微
治血家諸症憑此梯階投無不應往無不宜製此方也顏曰
後天六味者乃後天之後六味也如君熟地以峻補血之真

能臣當歸以能補能潤而益心生血佐二參一以益氣養陰有四物之功一以氣中血藥使無形生出有形使棗仁遠志可緩陰滋血可補心益精佐使相須各逞巳九終不外統藏之用要增損之爲諸路之應兵倘神而明之法外之見自有無窮之妙處

○後天八味方

布參一兩　白朮五錢少蜜炒（脾虛血）　黃芪二錢蜜炒　炙草一錢

麥門一錢　五味一錢研（蜜炒）　蓮肉一錢半炒　附子三分

膠棗煨姜煎服

主治後天陽氣虛損形瘦色青或虛肥氣短倦怠飲食不甘最怕風寒易生塡脹泄瀉或土虛不能斂火發熱煩渴等症

增損式

一中寒甚泄瀉腹痛加荳蔻乾姜　一陽虛陰乘之而下陷加升麻酒炒

一外感寒熱往來加柴胡半夏　一氣脹加沉香磨煨姜煎服

一痰盛加陳皮半夏　一指麻肉振加秦艽官桂

一衛虛自汗加防風甚加麻黃根　一胃虛嘔吐去姜棗加姜汁半夏

一氣逆乾嘔去附加薏苡燈心

按書云先天之陽虛補命火後天之陽虛補脾肺仲景用八味補先天陽丹溪用四君補後天陽東垣補中益氣爲脾家之聖藥先哲慈濟苦心兼且備矣豈敢擬議於其間哉第以四君湯如胃火獨亢茯苓豈可亂投脾陰偏損白朮不宜恒用人参雖爲虛火之聖藥然土虛不能藏納當避其鋭用他自可遠圖炙草誠能守中雖得其益然中虛氣不運行何堪其緩用彼未易成功此宜忌之所黑白也補中湯專繫虛人

補中兼散之劑其中所宜者十而所忌者亦七八宜忌已詳在本方

豈為純補之需余製八味方以補後天陽為脾肺左右逢源

之用參朮為脾肺家之正藥佐以黃芪從人參補肺氣從白

朮補胃陽炙草溫以和之麥門五味專滋金肅清蓮肉既是

脾家妙品又能佐諸藥倍其功能附子使諸陽扶脾引火歸

土中以作化源之用至於因症增損雖不似四君補中性味

然亦不違朱李之遺旨矣

○黑虎錠

陳倉米一斤（炒黑）　白朮四兩（土炒焦色）　厚朴八兩（炒烟起）　藿香二兩（焙乾）

香附八兩（炒烟尽）

右各味散末陳米水和丸作錠每錠重三分隨湯引（每服用二三錠）

一泄瀉飯水湯下　一兼脹飯水姜汁和勻下

一腹痛生姜湯下　一赤白痢車前根葉炒黃湯下

一吐瀉和姜汁飯水下　一霍亂生姜霍香陳皮湯下

一脹滿霍香湯下

按陳米乃胃家之要藥陳者味去氣存輕揚清純更得脾家

乾健之用白朮乃脾家正藥厚樸除脹消食益治嘔吐瀉痢

霍亂香附消宿食治泄瀉霍香止嘔吐治腹痛陳米治腸癖

霍亂然其妙更在炒黑能中守故走洩之症皆能止也

○白龍丹

常山八兩酒蒸九晒 石羔六兩火炒水飛 檳榔二兩切片微炒

右各味散末稀米糊丸每丸重一リ每服三丸臨發時前一

更迎服多寒生姜湯下多熱竹葉湯下

主治新久諸瘧症常山治傷寒濕瘧寒熱諸症誠瘧家之聖藥味者

長如毬毒蓋不知其所長也若虛人老人久病勢在逐邪而後補正須與參朮同行然不可多也石羔瀉胃火消胃中結氣除潮熱佐之梹榔下氣逐血除諸癰瘡症使之氣純力全神妙無比誠一路精兵破賊生擒易如反掌

○和血開鬱方

當歸三リ酒炒　川芎三リ　青皮一リ醋酒炒　香附一リ五分童便炒

龍胆草一リ酒炒　乾姜五片炒黑　大附三分　梹榔五分

枳殼一リ炒　炙草一リ　水煎和沉香磨服

主治婦人七情鬱結血虛氣滯肝火亢極脇脇絞痛四肢遂
冷余治一婦人孀居十載再嫁十日不和而離偶患此症勢
已沉困余以鬱治之而愈
按肝臟屬木木性條達書云肝之氣不可亢肝之血所當養
況婦人情偏多鬱七情内傷氣滯血虛而有此症故用芎歸
和血補血之聖藥爲君青皮伐肝木龍胆瀉肝火香附行氣
和血開鬱爲臣乾姜温血大附通經達絡炙草温中檳榔破
結氣枳殼行滯沉香升降真氣佐使相須氣藥不燥血藥滋

藥寒藥熱熱制塞氣純力全乃能勝病

○補陰益陽方

黃芪二月防風浸炒　當歸五リ酒炒　鹿茸二リ酒浸炙　布參リ五

茯苓三リ乳汁浸　炙草リ二　龍骨二リ火煅研服　牡礪二リ火煅研服

水煎溫服

主治陰亡陽脫盜汗自汗潰亂如雨身溫四肢漸厥逆冷余

隣家病篤已詳在陽案　陰亡陽脫自汗盜汗日夜浸淫如雨然陰

亡已十分陽脫六七分此寺若純用陽藥則恐刦其陰純用

陰藥則無救陽之能得此失彼疑懼不前橫心困慮半寺閒
方醒悟蓋陽亡救陽陰亡救陰自是常事然機在兩亡之際
惟有補接若補而後接更緩不及事古方此症多用十全第
以熟地純靜重濁白芍酸寒傷胃孤陽最忌白朮香燥徵陰
可防肉桂通達鼓舞亡脫非所宜余以黃芪雖氣藥而柔潤
之質存焉當歸雖血藥而辛香之氣馥然更思分金之爐已
弱惟歸所喜仍(借防)風浸黃芪使藥力自行藥力而達表之功
念鹿茸是精血所成而鹿本陽獸布參氣中血藥有陽生陰

長老能茯苓淡滲正欲助其燥濕更滲坤厚補脾還有生地化潑炙草溫中藉其托住龍骨專於固澀更資定魄養神牡蠣斂汗更能澀精使陽中有陰陰中有陽氣藥能兼補血血藥又可益氣香而不燥血無消耗之虞柔而不滯氣無閉塞之患陰陽兼補氣血均滋果能覆杯而神效無比

○清金尊氣方

麥門二錢米炒　車前一錢微炒　赤茯苓一錢　澤瀉一錢半塩炒

肉桂一錢忌火　牛膝一錢生用　五味四分　沉香五分磨服

生姜三片水煎服

主治氣虛有火不能下降歸源氣逆上冲乾嘔不止之聖藥
核吐則有物故吐有因痰因滯因風因濕因寒因食之分嘔
則氣逆而已肺主氣一身之氣總屬于肺經曰諸嘔逆上冲
皆屬于火火卽氣氣之本于肺而根于腎肺出氣而腎納氣
倘氣無歸源之力則宜補之而歛之納之今則不然因氣虛
而有火火壯則傷金故經曰治乾嘔以利小便爲主誠彫金
剥玉之格言也但人不解蓋肺主治節通調水道下輸膀胱

經曰水無氣不行是也况肺金屬乾天之象天氣下降始爲
雲爲雨而雷霆息彼雖有妙法而無奇方方書惟有五苓散
爲利水之要藥然以之治停水則可以之使氣壯而水自行
則不可緣不及水之源也余雖潛心默識而未得其端偶見
女兒病熱乾嘔甚倦點滴不能入乘此觸彼乃建此方用麥
門清肺家火邪是滴金滋水以爲君車前雖滲而猶潤澤赤
苓雖瀉而稟坤純澤瀉雖降陰中之陽非專伐水五味補肺
斂肺牛膝引氣下趨肉桂通達諸經兼能補火生氣沉香降

氣亦可升氣血以爲佐使果一劑而奏功何捷若偏用半夏之燥澁乾姜之辛散與諸香品賁門愈乾則逆冲之火愈甚矣必翻胃關格不招而自至知非芳能悔甚晚矣百發百中的神方捷

○人物滋榮膏此膏慎勿令泄氣氣泄則力少效遲

布參一斤別用一斤用人乳壯健人鹿膠四兩

右參膠鹿膠投入人乳置銅塌內化開再入白蜜四兩熇至軟硬得宜入磁罐封固每用一茶匙含化不拘時服

主治眞陰虧竭大脉洪大無倫症見偏枯拘攣大便燥結養

如爭屎小便頻數故用血化之人乳精成之鹿膠二者氣鍾
血化爲陰中之陽以爲佐人参氣中血藥補陽益陰使無形
生出有形以爲君蓋用陰不失乎陽無陽則陰無以生也用
陽不失乎陰無陰則陽無以化也古人云丹溪用多東垣用
寡寡則力純多亦不雜氣味相須而後可同隊建功此方陰
陽相濟而可以滋榮亦是理也

○扶陽抑陰方

人参五ㇼ　白朮三ㇼ　白芍三分便炒　黄芪二ㇼ童黒

大附少一

主治陰陽兩虛脫勢漸來陰勝於陽六脉細數症見鬱冐神

昏撮空譫語

按此合三方爲用一以固陽之參附一以固中之朮附一以

補衛之芪附既圖挽救之功又可托住中氣兼能固表然朮

陽中間入陰藥之白芍歛陰且借以童便使之下行炒黑取

若使之收降大要妙在芪芍二味黃芪收諸陽而上升白芍

抑羣陰而下降葢病在危脫法宜顧駐正氣爲先猶欲升而

亂提升柴恐火勢之得力易滋走洩欲降而混用寒凉恐下吸之無力益觸暴亡余臨症計窮於精思外得之佐補爲攻得效甚速姑存之以知拙中有巧

○四象膏

人参　白术　熟地　當歸

右四味各別熇成膏磁罐封固臨用隨症加減以白湯化服

增損式

一氣虛諸症以参术爲君歸熟爲臣

一血虛諸症以歸熹爲君参术爲臣

一氣中虛飲食不進以白朮爲君参爲臣歸熹爲之佐使

一氣血兩虛虛症蜂起用参朮爲君歸熹爲臣見氣分偏勝

又君歸熹而臣参朮要補氣宜十分補血宜六七分氣已旺

方可補血血稍旺更求補氣蓋氣有生血之功血無益氣之

理先哲有補接之法正謂此也

接古人立方有三才膏天地人也有兩儀膏一陰一陽也有

六一散天一地六也有戊巳凡二土也有二氣丸水火也有

二至丸夏至冬至也仲景建中湯以健脾土木曰曲直作酸
芍藥味酸屬甲木土曰稼穡作甘甘草味甘屬巳土酸甘相
合甲巳化土加肉桂爲龍火以助其化蓋醫之爲道陰陽五
行之理而巳余有四象膏陰藥二品亦從陽中來陽藥二品
亦從陰中來誠爲治氣血諸虛之妙品且熁膏藥之氣味奮
經火煉甚得陽生之理故有補藥宜用膏更美其滋潤臟腑
通達經絡肉理均周無如膏也非湯蕩丸緩之可比焉或疑
氣血虛則變現病症多端豈此法之可能盡捉蓋邪之所湊

其正也虚是畐爲百病之本不治其虚妄問其餘故曰治其

一則諸病消治其餘則頭緒亂

○滋陰降火方

熟地一㫦　生地一㫦　丹参五ㄌ　沙参五ㄌ

天門三ㄌ　牛膝三ㄌ　五味一半　一ㄌ

右石斛半㫦入水二碗煎取碗半入藥再煎取一碗微温服

主治陰虚陽乘水衰火炎六脉洪數形體瘦黑吐衄妄行熱

渴等症

增損式

一火勝加龜膠　　一血虛熱甚加人乳

一陰虛加鹿膠

按方書有滋陰降火方以四物加知柏玄參此伐火也夫火乃人身之至寶爲生生之用火即氣也氣可伐乎人可無氣乎蓋火安其位則萬象泰然陽無陰秘火無水制乃能妄行逼血而爲吐衄法當益陰以斂陽壯水以鎮火自滋其陰而火自降不務降火也余用二地補水以生血二參補陰以化

陽天門以調潤五味牛膝斂而納之使燥涸之微陰純静而
自生妄行之炎勢不攻而自退何懼吐衄之爲患哉

○二龍飲

班龍膠一兩　龍眼肉一兩

右先將龍眼水煮絞取汁一碗入班龍化開微温服

主治憂思傷脾不寐盜汗午後發熱煩渴大便燥結口瘡面
色痿黄臘屑甲錯婦人經枯血少飲食減少等症

按鹿膠本是填精補髓彊筋壯骨爲肝腎之要藥余以龍眼

一味燥入脾家爲水穀之資水穀乃後天化源非水穀無以成形體之壯故精血之海又必賴後天爲之資況心之得藏肝之得藏源源而來血之生本於脾也先哲有補脾陰之妙旨人所罕知蓋胃主後天陽氣脾主後天陰血血本一虛發消耗之機立見重用精血之要品從徑路入脾家以補脾之陰滋血之海血源既旺則統藏守職坎水潛行于下兌水潤澤于上土備坤柔之德萬物暢茂何有槁燥之患哉

○獨龍飲

鹿角膠

右用水重湯化開或用乳汁開或入熱粥化開或合[illegible]亦可飲溫服

主治精血衰少筋骨疼痛長幾悅顏壯陽重子清暑止渴濕熱頭痛陽虛假熱陰虛發熱偏枯拘攣男子遺精白濁女子帶下白淫血枯經閉姙婦熱極傷胎產後亡血作渴自汗盜汗一切氣虛諸般血症滋陰降火之聖藥消瘡瘵腫之神方

按書曰鹿山獸而補陽麋澤獸而補陰用茸則峻補之功速用膠則滋補之效遲然以衆力相聚何減於茸余臨症[illegible][illegible]

用或合用以爲塡精補髓壯骨彊筋誠爲精血有情之品非
草木之比肩故能扶虛益損挽死回生立起沉痾建功於頃
刻至哉衛生之聖藥守命之僊丹有司命之仁可不珍重哉

○安中散

陳皮ㄌ二　蒼朮一ㄌ半　厚朴ㄌ一　扁豆ㄌ一
豬苓ㄌ一　山藥一ㄌ半　炙草五分　炮姜八分

主治脾胃虛寒傷食氣脹　各爲末每服四ㄌ米泔湯下

如瀉甚加豆蔻ㄌ一脹甚加砂仁ㄌ一寒甚加附子ㄌ一

○補陰接陽方

熟地三月 布参一月半 白朮一月泔浸炒 乳白芍五リ童便炒黑

乾姜一リ炒黑 水煎溫服

主治虛勞陰熱薰蒸咳嗽不已形色憔悴氣短食少小便短赤大便溏泄凡症見陰虛十分陽虛七分者用此方補陰以接陽

增損式

一凡氣短倦甚煩渴陰先歛陽氣從臍下逆上奔而爲咳嗽者加牛必五味麥門

一溏泄甚者去牛膝　一有汗加當歸黃芪

一泄甚歸酒浸焙乾炒用　一不寐加當歸棗仁泄甚酌如前用

一嗽血加側栢葉童便酒浸炒黑　阿膠蛤粉炒成珠

○補陽接陰方

白朮一兩五錢土炒　布參一兩米炒　熟地一兩滯焙乾服　炙草四分

大附一錢半　水煎溫服

主治虛勞怯寒咳嗽痰涎壅盛咽膈不利形體焦瘦飲食日減小便閉澁大便滑泄凡症見陽虛十分陰虛七八分者用

之補陽以接陰

增損式

一倦甚氣不足以布息者或虛渴者加麥門老米炒

一汗甚者加炒黄芪五味　一瀉甚者加炒黑山藥荳蔻煨熟

一脹滿者加沉香　一寒滯者加肉桂

按人之賴以有生禀陰陽二氣而已陰陽之氣互爲其根相抱而不相離故無陽則陰無以生無陰則陽無以化是以宜平不宜偏百病之生靡不由於偏勝偏則病絶則死矣余臨

症雖見外邪乘虛虛症蜂起或祛除或補救惟諄諄以調停
陰陽爲首務次方旁及支離大凡寔則瀉虛則補人所共明
然補中有接醫多忽畧如陰陽離脫之際則先補而後接接
而復補以平以秘爲期則可也若兩相虛症扱以陽藥則爍
陰燒焦愈熾扱以陰藥則絕陽滑脫愈增劳猶昇肽藥難兼用虛勞多
遇此症書云土旺則金生勿勾勾於保肺水壯則火息毋汲
汲於清心此特論於未甚也倘症見外則身熱如烙体似乾
柴內則氣短食廢大便滑泄此時欲補土則消爍何堪欲壯

水則利下難過誠懼熱畏寒而束手古人云醫之爲病所困
惟陰虛難補正謂此也余爲活人計困慮衡心製此二方救
陰則君熟地而臣白朮救陽則君白朮而臣熟地人參氣中
血藥從氣則補氣從血則補血以爲佐用白芍以斂其陰且
借童便炒黑使火自降用炙草以入脾且引參朮托住中氣
炮姜能引血藥入血分引氣藥入氣分故用爲陰方向漢州太使
臣參朮則補中氣臣熟地則有滋陰降火之能故用爲陽方
向道此二方用陰不失其陽用陽不失其陰補中能護陰

能補使陰有化陽之功陽有生陰之德燥潤不偏氣血交養最爲穩當極有應驗願同志者勿以方賤而嗜奇大要虛勞者率由精血敗傷所致若捨氣血之外陰陽之理無別法矣

○肅金膏

烏梅三斤　石菖蒲一斤去毛洗淨折碎　枳殼半斤姜汁浸炒

青礞石二斤用焰硝一斤同入塌內鹽泥封固火煅以烘爲度取起冷定去鹽取石散末

右先將烏梅菖蒲枳殼入砂塌中滿水煮半乾取頭汁二汁三汁或四汁以味盡爲度去滓濾淨再將藥汁入砂塌

煎成稀膏取起晒乾入礞石末杵煉爲丸糸豆大每服一

丸含津化下甚覺快爽無比

主治肺氣壅寔痰盛咳嗽咽喉不清或氣逆痰喘與哮吼痰

盛等症建功於頃刻寔有斬關之能若症屬虛羸勢尚從標

亦宜些少暫用無妨隨卽救補

按肺臟色白稟金之氣在人身中如花蓋下蔭諸臟名曰嬌

臟爲諸臟氣之尊毫不受物礙書云脾爲生痰之源肺爲貯

痰之器若痰盛於肺則氣上而爲咳爲嗽況一身關津鎖鑰

之要莫重於此不得不爲急治使清肅之氣收治節之令行故余以烏梅酸斂可升可降下氣止咳消痰以收有餘之金爲君菖蒲專攻咳逆上氣出音通竅爲臣枳殼清痰氣與勞氣咳嗽又能消心下痞滿之疾能散上焦脹逆之氣爲佐礞石療痰之聖藥性本沉墜故能降火書云痰見青礞卽化爲水更得焰硝拌煆最能治濕熱痰爲使四者相須要之功力不外順氣消痰肅西金以掃清氣道乃能奏功如響應

○潤臟膏又名三黃膏

黃芪 溫肉分排膿止痛生肌歛瘡爲君二月生用

當歸 補血養血潤燥得黃芪更能生肌歛瘡爲君二月酒浸晒乾用

黃蠟 長肉生肌止血定痛瘡家之要藥以爲臣一月半

黃丹 止痛止血治湯火灼傷之要藥以爲佐一月水飛晒乾生用

香油 止痛生肌消腫補裂皮潤肌止血以爲使五夕

右先將歸芪入麻油熠數沸取歸芪杵爛以粗布絞取汁再將麻油熠數沸次入黃丹黃蠟香油攪勻出火毒貼之

余幼兒誤踏湯水足心背皮肉赤脫凡凉潤之物遍塗無效

日夜啼哭焦痛難堪乃作此方潤膏貼之果得痛止皮肉漸
生旬日間而定痊後有數人患瘡疽潰後肉爛流膿痛苦殊
甚許以此膏塗之亟能速效仍存以資一用

○保陰方

熟地二刄　布参一刄　肉桂一ソ半

主治久熱亡陰臟膚如烙形色俱脫晨昏譫妄日夜煩燥作
渴自汗飲食俱廢胃氣將敗等症

增損式

一精髓消枯骨痛加枸杞一丹　一喉乾咽痛加班龍膠五分

一陽虛惡寒陰虛發熱加何首烏　一消渴加麥門五味

余治一女具諸前症其脉左手關寸甚微弱而浮數一息五六至輕按稍有重按則散亂如解索兩尺如風吹鵞毛似有似無冲陽太谿絶無消息忖曰亡陽症四肢厥逆治法有回陽方後天陰血虛乏之症則有四物養榮等方若重症如脾腎之陰虛則有一氣湯先天之水衰則有六味湯至於亡陰一症古法絶無回陰之妙旨况此女病其機在陰陰已將亡而陽暴

脫且陰陽之道互爲其根陽中不可無陰陰中不可無陽陽本上升被陰吸之而下降陰本下降被陽吸之而上升此陰陽不相離之機也若陽先亡則陰亦繼絶陰旣敗則陽亦隨去今投以一氣則朮之燥附之悍恐不相倂投以六味則苓澤之耗陰萸之扶木丹之伐土又非對藥余曲畫求生之計乃以熟地峻補眞陰爲君以人參急救元陽之子爲臣益參之性最純同肉桂以補火同熟地以滋陰乃能同隊仍以肉桂爲使果然大劑之後眞陰得地而孤陽燔灼之勢被陰吸而

缺藏結熱隨減且熹地專填精補髓兼得班龍精血有情之品精能生氣氣生神而識稍清知人事人參大補胃氣得生乃能漸進飲食自此陽狂救陰陰狂救陽不許一毫偏勝至要以身溫食進爲立柱倘汲汲以退熱身凉爲事則無火無陽而生機絶矣余愛其方奏效甚速有幹旋之功仍顔之曰保陰方以補所缺然不曰回陰何也蓋四肢遊厥五火俱亡陽已去矣彼既去而我回之故曰回即挽回之義也若燎原之勢五液消枯陰將絶矣彼幾絶而我保之故曰保即保全之義也各

有燥自當進思焉夫亡陰之症最是危机較之不減亡陽治燥之闕徒奈醫多忽畧徒以寒涼爲事反覆攻逐期於盡遂身涼爲深喜不知涼者厥之漸也蓋陽猶火也陰猶柴也火愈烈則柴愈乾柴愈乾則火愈烈柴尽則火絶此陰亡而陽亦去矣故治者當以滋陰退陽爲至法使柴不盡而火不絶矣此余心得活人之計願高明者顧焉

○補脾陰煎

白朮四兩乳汁浸炒有瀉土炒　布參二兩伴糯米炒黃

熟地一刃炙乾　乾姜一リ炒黑　龍眼七リ　班龍一刃

右諸藥煎取頭汁二汁三汁濾淨去滓入砂塌再煎成濃膏投入班龍攪勻取下冷定每服二方寸茶匙以炒香蓮肉煎湯化下

增損式

一中寒氣腸鳴者加丁香一リ　一脾陰不守致胃陽下陷加炙草五リ苓一刃

一滑甚者加肉荳蔻三リ飯裹煨熟五味一リ

按土具坤柔之德始能生物有乾健之力始能化物人身中

脾惡濕而喜燥胃喜濕而惡燥人但知辛甘香燥可以健脾而不知柔潤本能補脾是以脾虛有陰陽之分脾之陽有虛者香燥是也脾之陰有虛者非純静不能奏功然補脾之陰非四物者可以責成蓋四物雖能填有形之血不能補無形之陰必純静冲和之氣味方可挽無形之陰虛故以布参氣中血藥兼陰陽之用熟地炙乾取馨香之氣媒入脾家以補脾之陰龍眼柔潤之資爲補脾陰之正藥班龍精血有情之品歷於猪煉蘊得清純黒姜守而不走既引陰藥入陰分更

能滋培乾健之功惟白朮一味性本燥悍非陰虛之可近而
特用爲君者葢欲建功於脾非此不可仍將焙膏曾經水火
化率使去剛陽之性變爲潤澤之資此陽已回陰奐故能與
陰藥同心於所事

○調元救本湯　白朮一兩炒枯　山藥五少米炒　熟地二少炙　兔絲少四
故紙少三　肉桂八分　入水煎温服　增損式
一瀉甚加荳蔻　一虛脹加木香
一痰壅加五味　一中寒甚加大附

接脾腎二家脾爲土臟腎爲水臟性之相反豈可相須脾喜燥惡濕腎喜潤惡燥藥之陰陽那能同隊古人未有專方以其藥難兼用先師製全真一氣湯補脾腎之陰至於補脾腎之陽實無其藥余臨一症中年婦得蓐劳病素利泄腫臚中氣阻虛脹小腹如饑上實下虛此脾之陽虛極矣頭巔頂甚痛且重口出痰涎咳嗽氣不歸源有寺逆冲而刺痛此腎之陰虛而陽無所依故多冺越而火亦虛矣夫劳病端於精枯血竭而然治劳之法惟以陰柔之品塡精補血故病見午後陰

熱蒸蒸大便燥結咳嗽吐紅口渴頻飲惟以重濁陰藥作一
路勁兵最爲易巳若泄瀉之症純用陰藥則傷胃重資陽藥
則耗陰此懼熱畏寒之兩難矣况此病婦重重皆脾腎之虧
虛且陽虛七八分陰虛者一二分而治痨之要旨無如土旺
則金生勿勾勾於保肺水壯則火息毋汲汲於清心之要法
此率爲調補滋補之寺節也若此脫勢已具陰陽將士離[illegible]
以水火神丹爲斂納之計然陰藥太重難回一線之微陽差
人之憂者不得不曲盡精思乃製一方用脾家聖藥之白朮

爲君以補脾之陽疑其亢烈則炒枯以減之山藥爲脾胃之需兼補腎中陽氣爲臣又用米炒以長胃中真氣兎絲爲佐益脾胃進飲食更補腎精甚能補脾腎之陽氣熟地本腎中精血之藥炒之最香别從經路入脾爲佐故紙能救火中衰命易泄然腎爲閉藏之司又爲胃關凡火泄者莫不責成於封蟄仍用三リ爲使肉桂補腎相火兼補脾胃之陽且秘逼從使臣白术則能資乾健之功臣熟地則有温龍窟之力仍用爲向道故彼此同心當居一位乃顔之曰調元救本湯脾

爲後天生化之源腎爲先天立命之本脾腎之陽一克則源

本可以固矣　傚傚新方卷終 光義敬書

同知府領南真縣知縣丁曰新勸示轄下捐助芳名以下

𤅢陽社武輝炳捐助八十貫　嘉禾社百户阮文立助銀子三兩

南真縣隷目鄧本辦隷吴言捐助五十貫

同技社武春芳捐助五十貫　都闕社秀才段永捐助三十貫

詩料總副總高文玕捐助三十貫　沛陽總副總陶文壬捐二十助錢

月邁社杜必發助十五貫　涇隴社百户范輝亶春齊全助二十貫